文春文庫

ナナメの夕暮れ

若林正恭

文藝春秋

ナナメの夕暮れ

まえがき

今のご時世「自分探し」なんて言葉は、人をバカにする時にしか使われない。

この言葉には、元々無いものを一生懸命探している人の、滑稽な姿への嘲笑が含まれている。

ぼくはそれをいい歳こいて、今までずっとやってきた人間だ。

なぜ、自分を探さなければいけなかったか。

それは、自分がよく分からなかったからだ。

その想いは幼稚園の頃から始まった。

冬のセーターの毛が、首と手首部分の素肌に触れることが我慢できない。

セーターの袖を捲《まく》って下のシャツの生地の上に持ってきて、素肌に触れないようにする。

丸首の部分を両手で摑んで首元に向かって引っ張り、ずっとそのままにしていた。

母親に「伸びるからやめなさい！」と怒られる。

「毛がチクチクして嫌だ」と、言うと「チクチクしない！」と怒鳴られる。

「チクチクして嫌だ」という気持ちが、なぜ伝わらないのだろう。

幼稚園の同級生はセーターを着て元気に走り回っている。

「みんなはチクチクするなんて言ってないでしょ！」

なんでみんなはチクチクしないのだろう？


高校1年生の時。

学ランの第一ボタンをしめると首に学ランのカラーが当たるのが、気になって気になって仕方なかった。

なぜ、こんなにも苦しいのにしめなくてはいけないのだろう？

寒いならまだしも、暑い時にもなぜ第一ボタンをしめなければいけないのだろう。

暖を保つ以外の第一ボタンをしめる理由ってなんだろう？

ずっと疑問に思う。

そういう人間を人は〝めんどくさい人〟と呼ぶ。

学校の校則で、第一ボタンは必ずしめることが決められていた。

第一ボタンをしめていないことを咎《とが》める先生の授業中以外、ぼくはずっと開けっ放しにしていた。

ある日の昼休み、校舎の階段を上っていると突然背中に強い衝撃があり、「バシン！」という音が響き渡った。

「痛っ！」

痛みに顔を顰《しか》めながら振り返ると、興奮した顔の先生が出席簿を持っていた。

「ボタンしめろ！　バカヤロー！」

ぼくは、もう本当にめんどくさい気分になった。

うんざりした目を先生に向けていたのだろう。

「なんだ、その目は！」

今度は、頭に出席簿が飛んできた。

なんでみんなは第一ボタンをずっとしめていられるんだろう？

今のぼくなら、当時16歳の自分にこう言うだろう。

「第一ボタンをしめなければいけないのは、支配者が効率的に統治するためだよ」

それは支配者に対する忠誠心を示すもので、反対に、しめないことは抗議の意志の表明になってしまう。

それは、社会に出てからあらゆる支配者の統治に従う予行演習のようなもので、それを拒否するなら退学するか制服の無い学校に転入するかが選択肢となる。

「で、寒い時以外に第一ボタンをしめる衣服としての有用性なんて無いよ」

第一ボタンを何の疑問も持たずにしめられる人は、きっと何の疑問も持たずに生きていける。

だけど、疑問を持ってしまう人は「自分探し」と「社会探し」をしなければ、「生き辛さ」は死ぬまで解消されない。

自分は何が好きで、何が嫌いか。

自分が何をしたくて、何をしたくないか。

「めんどくさい人」と言われても「考え過ぎ」と何度も言われても、

この国を、

この社会を、

この自分を、

解体して解明しなければ一生自分の心に蓋をしたまま生きることになる。

このエッセイは、２０１５年８月号から２０１８年４月号まで雑誌「ダ・ヴィンチ」に連載されたものと、この書籍用に加筆されたもので構成されています。

２０１８年７月の今、過去のエッセイを読み返してみると「何をごちゃごちゃ言ってんだよ」と我ながら呆れてしまうものもありました。

ぼくはずっと毎日を楽しんで生きている人に憧れてきた。

ずっと、周りの目を気にしないで自分を貫ける人に憧れてきた。

それは、一番身近な相方であったり、テレビで共演する明るくて前向きで失敗を引きずらず、頭が良くて劣等感を感じさせない人だったりした。

なんとか死ぬまでに、そういう人間になりたいと願ってきた。

だけど、結論から言うとそういう人間になることを諦めた。

諦めたし、飽きた。

それが不思議なことに、「自分探し」の答えと「日々を楽しむ」ってことをたぐり寄せた。

この本には、その軌跡が描かれています。

生き辛いという想いを抱えていて、息を潜めて生きている人はもしよければお付き合いください。

毎日が楽しくて充実しているという人は、今すぐこの本を元の位置に戻して、引き続き人生を楽しんでください。


今も、ぼくは仕事中にネクタイが気になって気になって仕方がない。

高校の時にアメフトをやっていたから首が太くて、シャツの第一ボタンをしめると苦しくて気になって仕事になりません。

今年40になる自分が、そんなことを気にしてしまうのが本当に情けないし悔しいです。

だけど、どうしてもボタンをしめることができないので、開けたままの襟元をネクタイの結び目で覆って隠しているのです。

なんでみんなネクタイが苦しくないのだろう?

本当は我慢しているのだろうか。

それとも、もう慣れてしまったのか。

はたまた、最初から全然苦しくなかったのであろうか。

ナナメの夕暮れ◉目次

第一章

第二章

第一章

再開します

気持ちの時効というものがあるのだろうか。

最近、5、6年前から仕事をしているスタッフさんに、当時は明かされなかったぼくの印象を告げられることが多い。

再現コント番組をやっていたスタッフさんから、6年越しのダメ出しを受けた。女優さんがボケ役のコントなのに、ぼくの女優さんの頭の撫で方が不自然過ぎたらしいのだ。本来の狙いとは違ってそっちが面白くなってコントが台無しになってしまっていたと言われた。番組の会議で「女優さんがボケのコントの相手役を若林にやらせるのはやめよう」という話になっていたらしい。

6年越しながらとても恥ずかしい気持ちになった。

このような話し合いが我々の知らない所で行われていて、仕事が減ったり逆に増えたりしているのだろう。

確かにその台本を読んだ時は戸惑っていた。

当時31歳であったが、慰めるという目的で女の人の頭を撫でたことが人生でただの一度も無かった。どのくらいの力で、どんな顔で、どのくらいの肘の角度で撫でればいいのか本当にわからなかった。

自慢じゃないが今はわかる。いや、わかると信じたい。

そのコントの映像を見た女性ファンから「再現コントで女優さんとの距離が随分開いてましたね。緊張していたんですか？」なんて、ぼくの女慣れしてない部分をいじる手紙が来た。それを読んだ時、「ブスが上に立った気になってんじゃねぇよ！」と僕は憤っていた（ブスかどうかはわからないが）。

この連載を休載して今日までで半年が経った。

自分で休載のお願いをしたのだが、その理由は簡単で、単純に書けなくなったからだ。2年前ぐらいまでは書きたいことが常に胸の中に溢《あふ》れていて、1時間もかからずに原稿を書き終わっていた。しかし、休載するまでの半年ぐらいは3時間かかっても書きたいことが何も思い浮かばなかった。そして、また後日書くことにしようとカフェを出るということの繰り返しだった。

半年休んでわかった。

6年前、ぼくはこの社会という場所に30歳で引っ越してきて、見るもの全てに驚いていた。打ち上げ、差し入れ、ガールズバー、しがらみ、強気な女、スターバックス、信じられないぐらいの才能、声も出ないほどの美貌、本当にいる選ばれた人間、信頼、その他諸々。無理も無い。それまでは、話し相手と言えばときどきキャンプの佐藤満春しかいなかった。楽屋では一言も話さず、コンパにも行かず、バイト仲間とのバーベキューにも行かず、相方とのネタ作り以外は散歩をしているか家で本を読んでいた。その行動パターンを繰り返すことは、プライドが高く、その割に打たれ弱い、だが影響され易い、そんな自分の防衛策だったのだろう。

もしかしたら、そんなぼくの世慣れてない部分はテレビに出始めた当初は初々しく映ったのかもしれない。しかし、ぼくは社会に6年住んで今や立派な住人となった。ラジオで「人見知りが治った」と言ったら、ファンレターに「人見知りの若林さんを信じてたのに残念です」と書いてあった。もちろん完治したわけではないが、人見知りのままでいようと努力する人間などいない。もし、言い訳として必要だという人は一生人見知りを大事に抱えていればいい。

社会に引っ越し直後でびっくりしたことを、毎月この「ダ・ヴィンチ」に書き綴っていた。だが、休載前頃はびっくりすることを自ら探しにいっていた。そりゃ、何時間も見つからないわけだ。探しているということは、びっくりしてないんだもん。なぜならぼくは社会が地元になりつつあるから。ちなみにこの原稿は1時間もかからずに書き終わりました。

ラウンドデビュー

ついにゴルフを始めてしまった。

ついに、と書いたのは若い頃ゴルフに興じるおっさんなどクソだと決めつけていたからだ。森林を伐採しゴルフ場を造り「自然の空気は美味しい」などとのたまう厚顔無恥な奴らだと。

しかし、先輩に誘われてゴルフの打ちっぱなしに行ってしまった。

なぜ行ったかというと、「若林君、飲み会が嫌いなだけで人が好きだからゴルフ向いてるよ。スポーツも好きだし」と先輩に言われて心が一瞬動いてしまったからだ。その先輩はさらに「若林君、例えば○○さん（大物芸人の名前）と飲みに行くとなったら緊張するけど、ゴルフ行くんだったら別に平気ってことない？」と言われ「確かに！」と膝を打ってしまった。

ゴルフの打ちっぱなしに着いた。

平日の夕方だというのに人が多いことにまず驚いた。スーツのままゴルフシューズだけを履いている人や、仕事の作業着のままゴルフクラブを振っている人がたくさんいた。暗くなって、照明に照らされた芝生の上を方々から放たれた白球が飛び交っていた。それはなかなかに清々しい光景で、仕事終わりに打ちっぱなしで汗をかくという行為は日々のストレスを解消するには有効なのだろうと感じられた。

なかなか物事にハマらないぼくなので、一回の打ちっぱなしでコースに出ることはないだろうなと高をくくっていた。しかし一緒に行った先輩が、クラブの握り方、ひじの角度、肩の回し方、頭の位置、目線、スタンス、膝の曲がり具合、その他諸々を教えてくれた。

「こんなにたくさんの要素を一遍にやらなきゃいけないんですか?」と聞くと「これが一生つきまとうんだよ」としみじみ言う。

ひとつ意識すると、別のことがおろそかになる。で、また忘れたことを意識すると、今まで意識していたことがおろそかになる。お尻を斜め上にあげるつもりで打ってみなとアドバイスを受けてその通りに打ってみると、ボールが初めて真っすぐ飛んで夜の闇に吸い込まれていった。

嬉しかった。

だが、次の打球はまた目の前を頼りなく転がっていったり、航空ショーの戦闘機のように右に大きく旋回していったり、ひどい時にはボールが真上に上がり天井に当たった。そして、「ボールを最後まで見てみな」というアドバイスに忠実に打つとまた素直に真っすぐ飛んでいった。

帰りの車の中で「何かに似ているなぁ？」と考えていた。

あぁ、あれだ、漫才だ。

複数の要素の何かを意識しては何かを忘れ、何十回、何百回かに一回ぐらい大当たりが出る。ウケる理由も複数あって、スベる理由も複数ある。

試すしかない。

若い頃は漫才をしていて、うまくいかないことやほんのちょっとしたミスが悔しくてたまらなかった。だから、漫才に対してあまり良い記憶はない。でも、きっとただ単純に〝試す〟ことは楽しかったんだろうな。それじゃなきゃ、飽きっぽい自分が何年も続けるはずがない。

試すってすごく楽しいことなんだ。何かがうまくいく喜びには、それまでうまくいかない苦しみが必要不可欠だ。隣のサラリーマンがミスショットをしてクラブのヘッドを地面にゴン！と叩き付けた。きっとこの人はミスをしに来ているのだろう。うまくいく喜びのために。

ちなみに先日ぼくは初めてコースに出ました。しかしながら、155という数字で一緒に回った経験者の皆さんにだいぶ迷惑をかけてしまった。ゴルフ場の空気、景色、途中の食事やビールも美味しくて、ラウンド後のお風呂も確かに気持ちのいいものだったが、金がめちゃめちゃ高いので妥当もしくはそれ以下のものに感じました。

今後、ぼくがゴルフを試し続けるかどうかはまだわかりません。ただ、飲み会よりは全然マシでした。

一人で平気なんですけど

昔からいろんな所に一人で行くことが多い。一人でいろんな所に出掛ける人を「おひとりさま」と呼ぶらしい。そして、最近では「おひとりさま」が「一匹狼ぶってる」と揶揄されることもあるみたいだ。なんでも嘲笑ってないと不安な人が多い。文字通り、不安なのだろう。

一人でプロレスを観に行ったと言うと「え？　一人で？」と驚かれることがある。ぼくは何の違和感もなくプロレス会場に一人で行き、限定Tシャツを買い、試合前にトイレで着替えて、「いけー！」とか「えー!?」とか声を上げながら観戦している。プロレス会場には一人で観に来ている方も大勢いる。

全然特別なことじゃない。

一人カラオケも昔からよく行く。収録でスベッたりした後は、一人カラオケでラップの曲を下手なフリースタイルを混ぜながら歌う。

とても効果的なストレス解消になる。

始めたてのゴルフで、一人でコースを回ることって出来るのかなと調べてみた。基本的には二人からの受付しかなかった。それをゴルフ好きの人に話すと「一人で回る人なんていないよ！」と笑われた。

「みんなといないと寂しい人」がいて、そういう人は「みんなが、みんなといないと寂しい」のだと思い込んでいる。だから、一人でどこかに行った話をすると「寂しくないの？」と聞いて来たりする。挙げ句の果てには「他人に自分を開かないと成長は無いよ」とか言う。こっちは自分なぞを開いたら、未来が閉じてしまうぐらいに内面が腐っている。だから、閉じているというのに。

なぜ一人で出掛けることが多いのか考えてみた。まず、周りの友達がほとんど結婚して子どもがいるので誘いづらい。そして、休みが平日に多いので大概の人が空いてない。あと、自分の行きたい所に行きたくて、他人の行きたい所に付き合うということに耐えられない。そして、自分の行きたい場所に他人を付き合わせることには後ろめたさがある。

このあいだ京都へ一人旅に行って龍安寺《りょうあんじ》の石庭を見ている時に、もう一つの理由に気づいた。石庭を見ながら考えていた。

「これ本当に、虎の子渡しとか宇宙とかそんなテーマがあるのかな？」

「やっぱりあるんじゃない？」

「うーん、これ意外と無いんじゃないかな？」

「無い？」

「無いというか『何かありそうに見せている』ことに凄さがあるんじゃないかな？」

「ああ、余白が想像力をかき立てるってこと？」

「そうそう！　例の『答えはそれぞれ見た人の中にある』っていうやつ」

「う〜ん、でも何か意味があるような気がするけどな」

「そう？」

「だって、そうじゃなきゃこんなに何百年も人を惹き付けられないんじゃない？」

　こんな会話を頭の中でずっとしていた。

　一人でいてもあまり寂しくないのは、自分と話しているからなのだ。

思えば子どもの頃からそうだった。駐車場で蟻の行列を見ながらかなりのテンポの早さで自分と会話していた。高校生の頃はといえば、授業中にぼーっと外を見ながら自分と話していた。大人になってからも飲み会でずっと自分と話していて、先輩に「何一人で黙りこくってんだ。つまらないなら帰れ！」と怒られていた。

ぼーっとしている人は何も考えていないんじゃない、猛烈に自分と会話しているのだ。「私の話聞いてる？」と付き合っている女の子によく言われていた。それが積み重なって振られることが多かった。話している時は、彼女と話しているようで自分と話していたのだろう。それは「自分のことしか考えない器の小さい男」となるのだろう。反論は、ない。

いつまで自分と話しているつもりだろうか。人の話を聞くってどういうことだろう？聞く。とはどういうことをいうのだろうか。

自分の正解

幼稚園の時に、祖母や母親に「大人になったら何になりたいの？」と聞かれて「科学者」と答えていた。そう答えると祖母と母親がなぜか喜び、食卓の雰囲気が明るくなるからだ。ちなみに科学者になりたいなんてまったく思っていなかった。

小学生の頃、少年野球でキャッチャーをやっていた。他のキャッチャーが、バッターのバットが当たることを怖れて後ろに下がると「ビビって下がるな！」と監督に怒られていた。それを見てぼくは逆にバットが当たる位置まで前に出た。振り下ろしたバットがガツン！　とキャッチャーヘルメットに当たると、監督が「ワハハ、そんなに前に出たら死ぬぞ。もっと下がれ！」と笑いながら注意する。本当は怖かったけど、そうすることによって監督やコーチが勇敢だと勘違いしてくれそうなのでそうしていた。監督には、勇敢であると判断すると褒めるという習性があった。

なぜ、幼稚園の時に正直に「バスの運転手になりたい」と言えなかったのか。

なぜ、小学生の時にバットが当たらず、且つ球が取り易い位置に自然にキャッチャーミットを構えなかったのか。

他人の正解に自分の言動や行動を置きに行くことを続けると、自分の正解が段々わからなくなる。バスの運転手になりたいのかどうかがよくわからなくなるのだ。

中学になってぼくはラグビー部に入った。小柄なぼくは全力で走ってくる体の大きな選手にタックルするのが怖かった。なので、紅白戦でわざと抜かれて横っ飛びをしてなんとかジャージの袖を摑もうとするという演技をしていた。すると、監督に呼ばれて「逃げるな」と冷たく言われた。あざとい芝居がバレてとても恥ずかしかった。演技はいつかバレて通用しない日が必ず来る。

他人の正解に置きに行くと、例えばその場に人数が多い時に、どの人の正解に置きに行っていいかわからなくなり、キョロキョロおどおどすることになる。だから、ぼくは人数の多い飲み会が苦手なのだ。

キョロキョロおどおどしている人は自分の意見を持って潑剌《はつらつ》としている人に徹底的に無視されて、イライラしているけど強気な人にカモられてスポイルされる。すると、段々と大勢の人がいる場を避けるようになる。

最近になってわかったことだが、若い頃の自分の人見知りの原因はそんなことであったような気がするのである。

正論が持て囃されている。

多様化された世の中では自分の中の正解に自信が持てなくなる。なんとなく正しいことを言ってそうな、有名人のコメント、Twitterのアカウント。誰かの正論に飛びついて楽をする。自分の中の正解と誰かの正論は根本的に質が違う。

もちろん、人の意見など聞かないという極端な話ではないし、自分の意見を臆せずに吐き出そうという単純な話でもない。

自分の意見は殺さなくてもいいということだ。

自分の正直な意見は、使う当ての無いコンドームのように財布にそっと忍ばせておけばいい。それは、いつかここぞという時に、行動を大胆にしてくれる。

ぼくは、仕事終わりの喫茶店でジンジャーエールを飲みながら腕を組み、違和感を抱いている先輩の価値観、仕事関係の人の価値観、両親の価値観、視聴者の価値観、このあいだ会ったキャバクラ嬢の価値観、今隣で愚痴をはき続けている見ず知らずの人の価値観を徹底的に批判していた。つまり、本音を確認していた。すると、自分の価値観がむくむくと立ち上がってきた。

それを大事に包んで人目につかないようにそっと財布に忍ばせて店を出た。

いつか、それを使う日までぼくは強者に対して物分かりの良いフリをし続けるつもりだ。

それを使うタイミングを、ぼくが間違える筈がない。

深夜、何をする？

テレビ番組の収録が終わるのが大体夜の9時半とか10時ぐらいだ。で、ほとんど毎日宿題と呼ばれているものがある。番組のアンケートの記入やトーク番組で話すことを決める作業。翌日の仕事の台本を読んだり、ライブが近付いてきたときなんかはネタ作りとか。それが1時間ぐらいで終わる。すると、帰りが夜11時過ぎってことが多い。そこから深夜2時ぐらいに寝るまでの間、何をするか毎日迷っている。映画でも観るかとレンタルショップに行く。でも、棚に並んでいるDVDを散々眺めた後、何も借りないで帰ることが多い。17歳の時に観た『キッズ・リターン』や、19歳の時に観た『トレインスポッティング』を越える興奮があるのだろうか？　と考え始めて、なんとなく借りる気が起きないのだ。探せばきっと今まで観てきた映画の衝撃を更新させられる作品もたくさんあるのだろう。でも探す気持ちが湧いてこない。映画を見て度肝を抜かれる体力が、仕事のあとには無いのかもしれない。

友達を誘って飲みに行こうという考えも浮かぶ。だが、歳の近い芸人友達はピックスモールンのゴンという男を残して全員結婚してしまった。子どもがいる友達も多いので23時半から呼び出すことは出来ない。するとずいぶん年下の後輩と飲むことになる。それで、後輩の苦労話を聞いていると、昔自分も同じような悔しい思いをしたことを思い出す。その時受けた仕打ちを思い出して、腹が立ってきてしょうがない。自分でも不思議なほど過去の怒りが清算されない面倒な性分なのである。帰宅しても、寝付きが悪くなってしまう。

何が言いたいかというと、ここまで読んでくれた方に、ぼくがキャバクラやガールズバーに行くことを容認して欲しいということなのだ。キャバクラは深夜から友達を呼びつけて気後れする必要もないし、1時間ほど飲んですぐ帰れるので僕のニーズにピッタリなのだ。

しかし、残念なことに最近キャバクラにも飽きてきてしまったのだ。20代のキャバクラ嬢の話を聞いても「気をつけて帰ってね」としか思わなくなっている。

ならば、家にまっすぐ帰って自分の出演した番組でも見て反省でもすればいいのだが、それも気が進まない。いろいろなことに心を配りながら話しているテレビの中の自分の顔を見ていると吐き気がするからだ。心身の調子のいい日に、部屋にあるエアロバイクを猛スピードで漕ぎながら一気に見ることにしている。

昔『ファイト・クラブ』という映画を見たが、あれは確か仕事終わりのストレスを溜めた男達が殴り合いをするために密かに集まっているという話だった。昔よりその気持ちがよくわかる。収録ではウケもすればスベりもしている。スベる方にフォーカスする性格なので、毎日ストレスは溜まっている。でも、殴り合いは怖いので相撲ぐらいの方がいいかもしれない。「スモウ・クラブ」。結構人が集まりそうな気がする。

少し前にライブをやった時、手伝っていただいたスタッフさんはみんなテレビの仕事もしている方たちだった。各々、自分の仕事を終えた後、稽古場に集まっていただいた。ライブの打ち合わせを「テレビではできないよね」なんて言いながらしてくれた。ライブ終了後には心地の良い充実感があった。「ライブ・クラブ」は仕事の糧にもなるし、やっぱり一番いいのかもしれない。

こんな時に話の合う嫁がいたら家に帰ってビールでも飲みながら、テレビでもラジオでも話せない今日の仕事のハプニングを笑って聞いてくれるのだろうか。しかし、結婚している知り合いの数人が言ってたけど、なぜだか家に帰りたくなくて駐車場の車の中で小一時間本を読んで過ごしたり、コンビニで缶ビールを買って公園のベンチで一人で飲んでから帰ったりするらしい。そんな話を聞いていると、ぼくみたいな人間なら車の中で小二時間、公園では缶ビールを2本飲むことになるだろうと想像がつく。結婚生活ぐらい夢見ていたかったが、現実はなかなか厳しいもののようだ。

ここ数年、夜の遊び場にもちょくちょく連れて行ってもらった。でも、ハマったものはあまりなかった。23時半以降の東京で行きたい所が思いつかない。自分の外側ではなく、内側におもしろいことを創るべきなのだろう。

野心と欲望

やる気がなさそうに見えるのか、やる気が漲《みなぎ》っている人に説教されることが多い。

一流の人と交流しろ、

一流のものを持て、

一流のものを食べろ。

特に、バブルを引きずっているようなギラギラしたおじさんに言われることが多い。「貴重な意見として参考にさせていただきます」と適当に返答すると、隠したつもりの苛立ちがバレる。

バブルおじさんは「ねぇ、何をしている時が楽しいの?」と険のある言い方でさらにコーナーへと追いつめようとする。

一流のものとは一体どういうものなのだろうか。

気になって表参道のブランド店に入ってみた。だだっ広い店内にしては置いてある服の数が少ない。床に敷かれた絨毯はいかにも高級そうな踏み心地だ。コンビニに買い物に行くような恰好で入って大丈夫であろうかと心配になった。

ふと、手に取ったスウェットを見て驚いた。

9万9000円だった！

例えば、今はファストファッションの店でスウェットが1000円で買える。対して、ブランド物のスウェットが9万9000円だ。差額の9万8000円が一流への通行料だとして、それで一体どんなものが手に入るのだろうか。

ファッションセンスに対する高評価だろうか？

気持ちのいい肌触りだろうか？

優越感だろうか？

作り手のプライドだろうか？

それだけの値段のものを商品として取り扱ってきて市場で生き残っているのだから、それなりの価値がきっとあるのだろう。それを手に入れようとする人は個人的にはバカだとは思うが、否定はしない。

ただ、自分には9万9000円も払ってスウェットを手に入れることがやっぱり理解できないのだ。

欲望が無いと人間は向上しない？　なぜ、一流のものを手に入れることだけを欲望だと思うのだろうか。安くてそこそこいいものに囲まれながら、平凡な家庭を築き、気の合う仲間とだけ楽しみ続ける人生を目指すことは欲望ではないのだろうか？　それを実現し続けることはとてつもない奇跡だし、難しいことだ。

そんなことを、震災と20代の時にした3万円の風呂無しアパートの生活で痛感した。一流のものに囲まれて生きることが幸福だと一神教のように信じている人は、それを信じない人間が信じられない。自分と他人の価値観をセパレートすることができない。仲の良い友達と草野球をして、勝利することより刺激的な遊びってどんな遊びなのだろうか？　気の合うスタッフさんとライブをやって、それが成功した時に味わえる充実感を凌ぐ一流の遊びは、この世界のどこに転がっているのだろうか？

でも、ぼくは一流（とその人が信じているもの）への野心を軸に生きる人を否定しない。

なぜなら、それは法律を犯していないし、ぼくに害がないからだ。そうやって生きるのが楽しくて、幸せな人もいるだろう。

ただ「俺はこういう生き方なんだよね」という話は聞けるが、「こういう生き方をしなくてはダメ」だと押し付けられるのが苦手だ。

そして何より野心や欲望は衝動だから、自然に湧き上がってくるものであって、「持て！」と言われて持てるものではない。

「なぜそういう生き方をした方がいいのですか？」と聞くと、「お前のためを思って」と言う。そういう人は「〜のためを思って」という大義を隠れ蓑にして、自分より立場の弱い者から自分の生き方を肯定する言葉をカツアゲしようとする。

これは別にバブル世代の批判ではない。

世代論なんて「人による」というワード一発で吹き飛んでしまうものだとぼくは思っていて、あまり好きではない。

どの世代もすごい人はすごいし、ダメな人はダメだ。

ただ、なぜ相談もされていないのに「野心や欲望が無いとダメ」と他人に言いたくなってしまう人がいるのだろうか。

自分の生き方に自信が有り過ぎるのだろうか？

それとも、無さ過ぎるのであろうか？

大人の授業

雑誌の企画で金融や経済に詳しい先生にいろいろとお話をうかがった。現状のままでは日本が再び1人当たりGDPで上位になるのはとても難しいこと。この先、先進国でいられるかどうかも危ういこと。そんな話が印象に残っている。

話の途中で先生はホワイトボードに三分割にされたピラミッドを三つ書いた。

一つには昭和（戦前）と書かれていて、ピラミッドの順番はてっぺんから国、企業、個人。

二つ目は昭和（戦後）と書かれていて、企業、国、個人。

三つ目は平成（バブル崩壊後）と書かれていて、個人、企業、国の順番だった。

これが日本の社会システムの変化だという。社会で尊重されるものが上から順番に並んでいるらしい。戦前は国に仕える人が尊敬され、戦後は企業。主婦同士で、「旦那様はどちらの会社にお勤めなんですか？　あらまぁすごいですね」という会話に象徴されるような優れた企業に勤めることが良しとされる時代。そして、三つ目が個人。どんな人が尊敬されるかという万人に共通の価値観は最早存在しないという多様化の時代だ。個人が一番上にくることで、起業を目指す人やノマドと言われる人が増えたり、資産運用などに力を入れる人が増えたらしい。個人の時間（プライベート）を大事にするために会社の上司との飲み会に参加しない人や、「出世に興味ないです」というようなバブル崩壊以前にはあまり耳にしなかったようなことを言う人も増えたのだとか。

そんな話を聞いて思い出したことがある。このあいだ、ある番組の収録で「ゆとり世代」「ロスジェネ世代」「バブル世代」「団塊の世代」と世代別に分けられて討論し合う機会があった。ぼくは世代別に分けることにあまり意味を感じられなかった。世代で分ける以前に個々人がバラバラのような気がしたからだ。途中、ゆとり世代の席に座っていた髪が銀色の読者モデルの男の子が「まったく女性に興味がない」「今後も恋愛も結婚もしない」と発言してスタジオは「草食系ならぬ絶食系だ」と騒然となった。その時ぼくは、もしコメントを求められたらどうしようと焦っていた。なぜなら「好きにすればいい」というコメントしか思い浮かばなかったからだ。自分に害が及ばない、法を犯している訳でも、他人の幸福追求の権利を侵している訳でもない。そして、本人もそれを望んでいた場合、「好きにしたらいい」以外の感想が見当たらなかった。そして、彼の感覚はぼくには絶対共感できないものだと感じた。その男の子は、太りたくないので食事は日に一食で、しかもお菓子しか食べないという。肌の白さを保ちたいので日中は日傘を持って歩くらしい。結局、司会者にコメントを求められたぼくは苦し紛れに「好きにしたらいいと思う……」とコメントすると、共演者から「一番冷たい」と一斉にツッコミを受けた。

収録後、共演していた先輩タレントの方に「好きにしたらいいは無いよ」とダメ出しを受けた。

言い訳をするつもりもなかったので「すみません」と軽く頭を下げると、その先輩は「俺たちも本音を言えばそうだからさ」と、付け加えた。

帰り道、ぼくはその言葉を反芻《はんすう》していた。

元々、絶食系の彼におじさん世代である我々が驚嘆の声を上げるまでがスタッフによってデザインされていたならば、それを汲んだ上でぼくは一体どんな言葉を吐けばよかったのだろう、と。

ぼくは、テレビにデザインがあることをむしろ肯定的に捉えている人間だ。デザインがあることで、逸脱が生まれる。

ハナから「本音でトークしよう」というテーマの番組で、本当の意味での本音が存在したのを見たことがない。

デザインと、本音と、エンターテイメント性と、番組の中での有用性、その全てを兼ね備えたコメントを一言で表現するのがタレントの仕事である。

その実力が無かったことと、アドバイスをしてくれた先輩タレントよりぼくの言葉が弱かったことが悔しかったのだ。

家にまっすぐ帰る気も起きず、途中で寄った喫茶店で本当に「好きにしたらいい」と思っていたのか考えていた。

正直、男性読者モデルである彼がその〝中性的〟な部分を自己プロデュースとして自覚的に使っている節が見て取れた。

なぜだかはよく分からないが、彼を支持する若い女性達にとっては彼の男性性を感じさせない部分が魅力的なのだろう。

それを邪魔するのはあまりにも悪趣味であるし、笑いにも繋げられる自信がなかった。

だが、その読者モデルの男の子が最後にボソッと言った一言を聞いて安易に驚かなくてよかったと思った。

彼は「モデルができない年齢になったら、アパレルの会社を立ち上げる」と言った。

今を期間限定で生きていて、その知名度と信頼を将来ビジネスの武器にしようとしている彼はとてもシビアに現実を見ていた。

なるほど、ピラミッドの一番上に「個人」が来るわけだ。

個人が一番上にある社会と聞くと、自由な感じがして聞こえはいい。だけど、これは繰り上げ当選のようなものじゃないのだろうか。単に二つ目のピラミッドの頂点にあった企業がバブル崩壊後に力を失って個人と入れ替わった。人は希望がないと生きられないとして、企業（で働くこと）に希望が持てないならば、個人として希望を持つ必要が出てくる。

これって強い信仰心がなかったり、共同体が強く機能していない現代日本の個人にとってめちゃくちゃ難しいことではないだろうか。企業（に必要とされること）に夢や希望を抱けない。そんな時、個人は何を希望にすればいいのだろうか？　家族、地元の友達、趣味、お金、アイドル、アニメ、美貌、ファッション、筋肉、肩書き……。何かに希望や承認を見つけて、現実を生き抜くしかない。

読者モデルの彼は、美貌やファッションを希望にしていたのではないだろうか。ぼくは彼のサバイバル術を否定できない。彼は、将来自分の会社を立ち上げてそれを希望（生き甲斐）にするだろうからだ。

ただ、その時のためにも「ご飯はちゃんと食べた方がいい」と思ったのは紛れもないぼくの本心だ。

そして、偏食なら「せめてエゴマ油を一日ひと匙飲むといいよ」と言えばよかったのかもしれない。

もしかしたら、彼はちゃんとバランスの良い食事をしているのかもしれないが。

現実を生きるための

このあいだ収録で原宿のカフェのVTRを見ていた。その店はカピバラがモチーフになっていて、店内ではカピバラのかぶり物をしながら飲食をするというコンセプトだった。メニューのパンケーキの表面にカピバラの顔がソースで描かれている。ロケに行ったタレントがカピバラの顔にナイフとフォークを入れるとスタジオに「かわいそ〜」と悲鳴が響く。このお店の客は自分でパンケーキを頼んでおいて「かわいい〜」と言って、食べるときに「かわいそ〜」と言って、食べて「おいしい〜」と言っていた。

昔の自分なら、バカげていると鼻で笑ってお終いだった。今は「なるほど、なるほど」だ。カピバラを描くことで、楽しくなる。ただただパンケーキを食べるよりは楽しい（人もいる）のだろう。

普通へのデコレーション。店を出た後、女子会のリーダーは言うだろう、「楽しかったね。また来ようね」。

ぼくの親父は熱狂的な阪神ファンだった。阪神戦がテレビであるときは、食卓に歓喜の声と怒号が飛び交っていた。物心がつき始めたとき、親父に聞いた。

「阪神が勝つことと、お父さんとどう関係があるの?」

親父は不機嫌な顔になり一言「黙ってろ」と言った。当時は子どもだったので単純な興味で聞いてしまったのだが、言うべきではないことを言った罪悪感があった。阪神の勝利や敗北は、親父の生活サイクルに活気をもたらしていた。活気とは脳内の興奮である。勝ち負けによって心身は刺激を受けて、日々の活力となっていただろう。

特典つきのアイドルのCDを何枚も買って、借金が膨らみ、自己破産する人がいるらしい。それは自分が不幸になっているから、ファンタジーの使い方を間違えているパターン。もったいない。特典つきのアイドルのCDを一枚買うことで仕事やプライベートへのモチベーションやエネルギーが増す。その力によって、アイドルのCDに投資した額よりも、自分の日常生活において高い価値を得る。中長期的に見ても幸福度が増す。こういった流れがファンタジーの上手な使い方ではないだろうか?

元本割れをしてはダメだ。

占いなんかでもそう。お金を払って占いをすることで、その投資額(占いの料金)を上回る価値が日常生活にもたらされるならいいが、それに依存して例えば壺やら石やらを大量に買ってマイナスになってはいけない。純粋で正直で弱い人の不安を利用して食い潰す悪質なビジネスは今も昔もなくならない。強い信仰を持っている人が比較的少ない日本では、現実を生きるためのファンタジーを供給するビジネスはとても盛んだ。それが「娯楽」と呼ばれる範囲のものなら結構なことだが、「娯楽」の範囲を超えて「依存」になって自分の生活の質が落ちたら台無しだ。

本当はファンタジーを抜きに現実を生きられたら、申し分のないことだろう。だが、人間はファンタジーを抜きに現実だけを直視しながら生きられるような強い生き物だろうか?

若い頃、ぼくはリアルに生きることを目指していた。この世界と自分の真実だけを芯で捉えて生きてやろうと息巻いていた。それがリアルだと信じていた。そんなことは無理だったし、ぼくがかつて「真実」と呼んでいたものだって時と場合によって簡単に姿を変える、有って無いようなものだった。それならば、今のぼくはファンタジーを選ぶ。使命というファンタジーを作り出し、それを自分に信じ込ませる。自分の仕事には意味があると言い聞かせて、虚無気味の世界にカピバラの顔を描く。趣味や娯楽を振り回し、ただ生まれて死ぬという事象にデコレーションしまくる。真実はあまりにも残酷で、あまりにも美しくて、まともに向き合うと疲れてしまうから。真実はたまにぐらいが丁度いい。

「身の程を知れ」という言葉がある。確かに身の程を知ることで得することもあるだろう。だが、身の程を知りすぎて夜眠れない人はどうだろう？　損をしている。ぼくは「身の程」なんて最後まで知るつもりはない。何かに酔って、現実の輪郭を少しだけぼやけさせ続けながら生きる。

この現実を生きるために、ファンタジー、何をどのぐらい選ぶか。

男性ホルモン？

高校生の時はアメフト部に所属していて、毎日人とぶつかっていた。

紅白戦のようなものが毎日あったので、プレー中は先輩だろうが後輩だろうが「ぶちかましてやる」と息巻いていた。

練習の後は、粗大ゴミ置き場に捨ててあるロッカーをみんなで雄叫びを上げながらボコボコにしていた。

チームメイトと廊下ですれ違う時はタックルをかましあって、ふっ飛ばされた先の教室のドアがよく外れていた。

一体あれはなんだったのだろうかと、今になるととても不思議だ。

理由も無く何かを壊したいし、人にぶち当たりたくてぶち当たりたくてしょうがないのである。

今通っている格闘技ジムの先生に「なんで格闘家になったんですか？」と聞いたら

「試合で合法的に人を殴れるからだよ」と言っていた。

自分にもピンとくるものがあった。ぼくは合法的に人にぶち当たれるからアメフト部に入ったようなものだったからだ。

お笑い芸人は若手の頃、とんがっているとよく言われる。

その例に漏れず、22歳の時に事務所に入ったぼくはもうずっとイライラしてた。

初めてライブの企画のコーナーに出ることになった時に、先輩に「潰してやるからな」と言われ「じゃあ全力で闘います」と返していた。

今思い出してみてもぞっとする薄ら寒い返しだ。

で、本番はと言うと一言も発することができなかった。

オーディションに行った時も「お前スベってたな」と同期に言われて、喉元を摑み壁に押し付けて「お前もな」と言っていた。

もうイライライライラしていてどうしようもなかった。

よくもまぁ気弱な自分がそんな気持ちになっていたものだなと呆れる。

最近はキャバクラも飽きてしまって全然行かない。

夜中の一人での自分磨きの量も極端に減った。

週に2回。もしくは1回。

10代の頃は毎日、もしくは日に2回なんてこともあった。

そういえば最近性衝動がいくぶん落ち着いているからか、普通に女の人に話しかけられる。

少し前まで、女の人の存在がエロ過ぎてエロ過ぎて話しかけられなかった。

性衝動を押さえ込むために逆に表情が乏しくなり、若林特有のむっつり感が際立っていたように思う。

そんなことを考えていた矢先に、男性ホルモンについて特集していたテレビ番組を見た。

性衝動に関係していたり攻撃的な気持ちになったりすると放送で医者が言っていたので、気になってネットで調べてみた。

すると、男性ホルモン量の年齢別グラフがあった。

20歳辺りでピークを迎え、そこからは徐々に下降していた。

ぼくの年齢の37歳では全盛期に比べると随分グラフの位置が下がっていた。

若い時にとんがっている理由って男性ホルモンのせいもあるんじゃないのだろうか？と思った。

今の自分があまりイライラしなくなったのは、精神的に成長したからだという意識は希薄だ。

なんだか、若い時って胸の真ん中に巨大なイライラがあってそれがもう渦巻いちゃってしょうがなかった。

それの鎮め方って今になっても本当に思いつかない。

それぐらい圧倒的にイライラしていた。

ぶつかりたくてしょうがなかった。

男性ホルモンの量が落ち着いた方が女の人とコミュニケーションを取れるようになるってなんだか皮肉な話だな。

そう考えると成人式で暴れている人とかは、男性ホルモンが過剰に分泌されているというのも理由の一つにあるのかもしれない。

それを社会に対する反抗とかに関連づけてもややこしい。

とにもかくにも、ぼくはあんなにもイライラが体の中に渦巻いていた頃より今の方が全然楽です。

2009年とぼくと

このあいだダイナマイト関西という大喜利のライブがあった。トーナメント方式の事務所対抗戦で、その日は決勝戦だった。ぼくは我が事務所の5番手の大将として舞台袖で待機していた。出番前に普段はど緊張しているのだが、その日は何か違った。「あれ？　こんなに平らで良かったんだっけ？」と心配になる程、心が落ち着いていた。ライブ前にそういった精神状態であることは、この世界に入ってから初めてのことだった。

その頃、この連載を始める前の2009年のぼくは、ライブ会場のトイレに籠ってYouTubeでシド・ヴィシャスが『マイ・ウェイ』を歌う映像を見ていた。シド・ヴィシャスが舞台をはける時に客席に中指を立てるあの映像だ。その映像を見ながら「客の評価など関係ない。自分のやりたいことをやる」と脳内で念仏のように唱えていた。

なぜ素直に「お客さんに評価されたい！」と思えなかったのだろうか？

答えは簡単で「お客さんに取り入ろうとする弱い自分」であることは当時のぼくに

とって、それはそれは不本意なことであったからだ。当時ぼくは岡本太郎に傾倒していた。岡本太郎の「相手に伝わらなくてもいいんだと思ってその純粋さをつらぬけば、逆にその純粋さは伝わるんだよ」という言葉を御題目のように胸のど真ん中に置いていた。お客さんのご機嫌を伺うなんてカリスマ視（厳しい言い方をすると「都合の良い理想化」）をしている岡本太郎に顔向けできないじゃないか。だから「客の評価など関係ない」と下品にも息巻いて（それも人目につかないトイレの個室で）、パンクロックの映像などを見て等身大の自分に下駄を履かせていたのだ。

２００９年は自分の気持ちを正直に言えない。例えば、

「彼女が欲しい」

「金持ちになりたい」

「美味しいものが食べてみたい」

「チヤホヤされたい」

考えていることはおよそありきたりのくせに、いやありきたりだからこそ、それらを達観して超越しているフリをする。だって、２００９年は特別な人間じゃなければいけないのだから。そんなことをやっているから「本当に自分が手に入れたいもの」がいつ

までたってもわからないんだよ。

2009年は「センスがある」と言われる芸人さんになることを夢見ていた。センスなど、取るに足らないものなのに。その時は「コアなお笑いファン」などという類いの人達に一目置かれる存在になってみたいという下心に囚われていた。そういった気持ちはどこからやってくるのだろうか。

子どもはいい子でいないと、成績が良くないと、スポーツができないと「親に愛されない」というプレッシャーに常にさらされている。その期待に応えられないことは愛されないことに繋がる。子どもは自分で稼いで飯を食えない。親に食べさせてもらうしかない。だから、親の期待に応えられないということは子どもにとって死を意味するほどのプレッシャーなのだ。親の期待を感じやすい性質を持っている子どもや、親の期待が過度な家庭の子どもはそういった重圧に常に晒《さら》されている。

その期待に応えられなくなった子どもはどうするだろうか。君は学業やスポーツや芸術などのポジティブな結果で愛されることが叶わないと悟ると、ネガティブな結果でもって親の注意を引こうとするだろう。

人を殴る？

原付を盗む？

タトゥーをいれる？

何をして親の注意を引こうとするだろうか？　警察に捕まって、警察署に迎えにきた親が泣いているのを見て君は思うだろう。「涙を流す程度はギリ、自分に注目しているのだな」と。それすらも叶わない場合、暴力性をさらに加速させるだろうか。

たとえいい子で、成績が良くて、スポーツもできたとしても子どもは気づいている。これを維持し続けないと愛されないのだ、と。ありのままの自分では愛されないのだ、と。

そんな君はずっと苦しかっただろう。親はその子のありのままを愛してあげるべきだった。でも、それは親にだって難しいことだったのかもしれない。だって、親自体がそのまた親の期待に応えないと愛されないというプレッシャーに苦しんできたのだから。条件付きの愛しか知らないのだから。

今から1年半前、2014年の夏。ダイナマイト関西の個人戦の決勝でぼくは敗れた。試合の最中から「この勝負に負けるな」ということに気づいていた。対戦相手の先輩に比べてお客さんの心の掴み方が浅すぎた。それを象徴するかのように、対戦相手は幸せな回答でぼくにとどめを刺した。いや、とどめなど刺していない。ただただ、会場を幸せな空気にしたのだ。

己の自尊心を満たすためだけの鹿爪らしい大喜利など誰が支持するだろうか。それのどこがおもしろいのだ。それが、会場に爆笑を起こしていたとしてもだ。

理想の自分にずっと苦しめられてきた。凡才のくせに、センスのある自分、お笑いファンに一目置かれる自分になりたいと夢見ていた。天に伸びる錆び付いたハシゴを上っている。上には理想の自分がいてなんとか追いつこうとしている。理想の自分は、等身大の自分の上昇と共にさらに上昇する。だから、追いつかないどころか差はどんどん開く。下を見る。転落したら確実に死ぬ高さだ。常に怯《おび》えている。それなのにハシゴの袂《たもと》を顔も知らない誰かが蹴り続けている。揺れているハシゴに必死でしがみついているのだ。


さて、今に戻ろう。

舞台袖。副将の相方が、センスなんて小手先のものではない生き様を振り回していて、調子が良さそうだ。もし大将で出て行って秒殺されてしまったらどうしよう。その時は仲間にいじってもらおう。エンディングか打ち上げで「なんだお前、大将とかいって出て行って秒殺されやがって」「どの面下げて大将やってんだバカヤロー!」と。

出番まではもう少し時間がありそうだ。その時、いいアイデアが浮かんだ。ぼくは袖の階段を一気に駆け下りトイレへと走った。個室のドアに懸垂一閃《けんすいいっせん》よじのぼり、内側へと飛び降りた。2009年は目を丸くしてぼくを見ている。君はいつもそう。心に何の躊躇《ちゅうちょ》もなく踏み込んでくる人にとても弱い。ぼくは2009年のイヤホンを勢いよく抜き、首の後ろの襟を摑んで個室のドアから連れ出し、舞台袖まで強引に連れてきた。そして、ぼくは「君が理想とする自分と、今から出て行く自分。どちらが得か見ていろ」と言った。帰ってきた時にもしぼくの方が得だと思ったら、理想の自分を一緒に殺しに行こうではないか。

出番が来て会場にアナログフィッシュの『SHOWがはじまるよ』が流れた。1月なので衣装のTシャツが少し寒い。下にヒートテックを着とけばよかった。

ありのままの自分を受け入れろ、とか。身の程を知れ、とか。勘違いをするな、とか。ずっと言われてきた。でも、なかなかできない。なぜか？　勧められていることが自制だからだ。禁欲的だからだ。人間は得があることじゃないとなかなかできない。では、今から一緒に理想の自分を殺す得を作ろうではないか。

君がずっとハシゴを上って同化しようとしている理想の自分？　天才？　特別な人？

ぼくが見てきたそういった類の人たちは、ずっとず〜っと怯えているよ。

天才は自らの劣等感や焦燥感を埋めるために必死だ。作品が評価を受ける度に、それによってさらに高くなったハードルを越えるために苦心する。その繰り返しに一生を費やし、ついにそれが叶わなくなった時にこの道を志した時から何も変わっていない欠落の深さを目の当たりにして絶望する。「今までなんだったのだ」と。

天才は評価を受けても、欠落が評価をすぐに食いつくし新しい評価を欲しがる。それに気づいてるお付きの者は、食事の席で天才を称える歯の浮くような台詞を並べ立てる。天才は意外にそれに気づかない。いや、気づいてるのかもしれない。もしかしたら、天才は歯の浮くような台詞を求めていて、お付きの者はそれを望み通りはき出すという〝プレイ〟に興じているのかもしれない。天才は欠落を埋めてもらい、お付きの者は天才に存在を認めてもらうという〝欠落補塡プレイ〟だ。

だから、天才は「ただそれを楽しんでいる（ように見える）者」を目の当たりにした時に愕然《がくぜん》とする。そして、ただ楽しんでいる者の作品を辛らつな言葉を使って価値下げし、自分の絶望をリセットしようとするだろう。他人の作品を手放しで称賛すること（楽しむこと）がないのだ。こういった天才が偉人と呼ばれる人の中にいかに多いか。

もちろんそうじゃない人もいる。いささか、天才という人のイメージに偏りをつけすぎたかもしれない。だが、それは今、君を説得するためにやらなくてはならないことなのだ。ぼくが聞きたいのは「君はそれでも天才に憧れるか？」ということだ。ぼくは天才になれないという能力的な限界に絶望する前にこんな解釈（回避）をする。それは「君の理想とする天才と呼ばれるような人はカッコ悪い」という強引な決め付けだ。

右記のようなカッコ悪くて不健康な天才になるより、地点は低くても等身大の自分の方がユニーク（気楽という言い方でも良いだろう）じゃないだろうか？という提案だ。

自分の場合、その気づきを得るまでに37年もかかった。37年だ。理想の自分に追いつかないことに苦しんでいるから、自分と世界を呪って、人を嫌な気持ちにさせて、付き合ってくれた彼女を傷つけ、いろんな人に迷惑をかけてきた。なんということだ。理想の自分に追いつこうとしているから、今日の自分を生きることはなく、常に未来の理想化された自分を生きている。だから、今日をずっと楽しめなかったんだ。今日じゃないな、今だな、もっといえばこの一瞬を楽しく生きてこられなかったんだ。37年もね。「今日の自分は本当の自分じゃない。自分というものはもっと高尚な人間なんだ」と言い訳（逃避）をして今日の自分をないがしろにしてきたんだ。

果はどうでもよかった。先ほどの質問、どちらが得だと思ったかをライブ終わりの打ち上げで2009年に問い続けていた。理想の自分はアルコールと共に韓国料理の店の小便器から下水に流されていっただろうか。ぼくは出番を終えて袖に帰ってきた。ぼくは漢字を間違えたり、噛んだりもした。結

打ち上げ終了後、2009年と2人でタクシーに乗り家に向かう。2009年とぼくはイヤホンを片方ずつ耳に入れ、YouTubeでジョン・ライドンがイギリスの「あの人は今」的な番組でダチョウに追いかけられて笑われている映像を一緒に見ていた。ダチョウにおしりを突かれたライドンを見てぼくは笑った。君も笑ったかなと視線をやると、行き場を無くした片方のイヤホンがシートに力なく垂れていただけだった。つまみ上げて自分の反対側の耳に差し込もうとしたがやめた。ぼくは右耳のイヤホンも取り出してスマートフォンをカバンに入れ、タクシーを停めてもらった。巨大な女の股にタクシーの車体があって、後部座席のドアが開きぼくは甲州街道に降り立った。生まれて初めて世界に飛び出したかのような気分だった。外の空気はひんやりと冷たかった。見慣れた甲州街道の筈なのに何もかも新鮮で、瑞々しかった。

まだ家まで距離はあるが、歩くことにした。上るでも、走るでもなく、歩いた。営業を終えてひっそりとしている新しくできたインドカレー屋さんが目に入った。メニュー

の看板を見るとどれもおいしそうだった。今度食べに来よう。

苦労を知らない子どもの30年後

「絶対おっさんになってもそんなことやらねぇよ」と若い時には鼻で笑っていたことを37歳になって全部やっていることに気づく。

最近でいえばゴルフ。森林を伐採して造ったコースを我が物顔で歩きながら「空気がおいしいね～」なんて言うのは俗物のブタ野郎がやることだと若い時は決めつけていた。今はまんまやっている。

小学生の時、「おっさんになっても絶対エロ本なんて読まない！」と母親に宣言していた。実際は中学から読んでたし、今でもネット動画よりエロ本派だ。

立ち上がる時に「よっこらせ」と言うし、くしゃみの音量がでかくなってきた。職業上、流行っている若いアーティストの曲を一応知っとかないといけない気がする。なので聴いてみたりするのだが、まったくついていけない。すぐバンド名は忘れるし、歌われていることがピンとこなくなってしまった。今は、井上陽水さんと中島みゆきさんをひたすら聴いている。ぐっときてしょうがない。アイドルがみんな同じ顔に見えるという現象も始まっている。ハナから見分ける気持ちがないのだ。

そういったおじさん化の流れの一種なのか、見る番組にドキュメンタリーが多くなってきて、半年前ぐらいからはビールを片手に毎晩ニュース番組を見るようになった。そういう習慣が突然日常に入り込んできたことが、自分でも意外だ。同世代の友達も同じようなことを言っていた。

20歳の頃は周りの友達を見ながら、こんな金髪とかアフロの奴らが大人になって日本を支えるおっさんになれるのかな？ と勝手に不安がっていた。しかし、そいつらとこのあいだ飲んだ時、アメリカ大統領選のトランプ氏の話題で持ち切りだった。きっと、その昔竹の子族だった若者もチーマーだった若者もみんなおっさんおばさんになって、ニュースを見ながら今の日本を憂えていたりするのだろう。

このあいだ24歳の女の子に前の仕事を聞いて驚いた。チェーン店らしいのだが、朝の10時から閉店の24時まで働いて、給料は8時間分しか出ないらしいのだ。月に1日も休みなしで出勤しているのに、明細ではきっちり8日間休んだことになっていたらしい。そんな労働環境で3年間も正社員として働いたらしい。ちなみに月給を聞いて時給で割ったら数百円だった。

正真正銘のブラック企業だ。

なんで辞めなかったの？　と聞いたら誰に相談しても「飲食ってそうだよね」としか言われず働き続けたらしい。「社長が毎朝リムジンで出社して、ファーストクラスで海外旅行に行っているとしたら腹立たない？」と聞いたら「それはしょうがないですよ～」と言っていた。

しょうがないのだろうか？

まったくの他人事なのに、ぼくはその社長の生活レベルを落として浮いた分を社員に分配するべきだと憤った。だが、なぜそれが果たされないのだろうか？　頭のいい友達に聞いてみた。

なぜブラック企業が増えたのか？

なぜ格差社会になったのか？

具体的に誰のせいでそうなったのか？

それは今後も広がっていくのか？

聞けば聞くほど疑問が増えたし、話は次第に難解になった。だけど、自分とニュースがここまで深く繋がった手応えがあったのは初めてのことだった。ぼくらの世代はいい大学を出て、いい企業に入れば昇給しながら定年まで生活できると教えられてきた。だが、そういった価値観が大学生の頃に崩れ去った。子どもの頃「苦労を知らない子ども」と言われ、今は「ロストジェネレーション」とか言われている。

小学生の頃、テレビ番組でコメンテーターが「日本人は平和ボケだから」「日本は裕福過ぎるからみんなで貧乏になったほうがいい」と言っているのを聞いたことがある。今、そんな発言はまったく聞かなくなった。このあいだ同じコメンテーターが「昔は良かった」的なことを言っていた。そんなことを考えながらニュースを見て「なんだかな～」と言って「投票率が上がらないとな～」とか言っているのである。

このあいだ「どのぐらい白髪が増えたら染めたほうがいいのか」を初めて美容師さんに聞いた。

まえけんさん

21歳の時、まえけんさんに初めて挨拶しに行った時のこと。「今日からケイダッシュステージに入った若林と言います。よろしくお願いします」と挨拶すると、まえけんさんは「前田健です。よろしくお願いします」と丁寧に頭を下げた。後輩にあんなに美しく頭を下げて挨拶する人は初めて見た。そして、その後ぼくの顔をじーっと見て「みんな死んじゃえって顔してるね」とまえけんさんは言った。ぼくは何かを見抜かれた気がして、この人には嘘は通用しないなと悟った。

まえけんさんと同じショーパブのキサラに出ていたこともあり、週に2、3回ぐらい会っていた時期がある。ある日まえけんさんがファミレスに一人で居るというので、暇なぼくはそのファミレスに向かった。まえけんさんはひどく落ち込んだ顔をしていた。聞けば、年上の男にふられたというのだ。ぼくは適当な言葉が見当たらず「まえけんさんはいいひとだから、もっと素晴らしい人に出会えますよ」と苦し紛れに言うと、まえけんさんは「お前に100人の男にふられた男の気持ちがわかるのかよ！」と言った。

その当時、ぼくは23歳。100人の男にふられた男の気持ちがわかる訳がない。仕事がない時、まえけんさんにはよく愚痴を聞いてもらった。聞いても何の得にもならない若手の実力不足の言い訳をずっと聞いてくれていた。でも、まえけんさんは簡単に味方をしてくれるような人ではなかった。だから、叱られたことも多かった。当時のぼくには己の未熟さを笑える強さは無く、こともあろうに先輩のまえけんさんに向かって言い返したりしていた。「でも」と言って話し始めるぼくにまえけんさんは、『でも』と言うな」と何度も注意した。飲み込みにくい意見も一度咀嚼して飲み込んでみろと。それから反論しろとよく怒られた。だけど、全然「でも」と言ってしまう癖は治らなかった。論理的なつもりで自分の意見を滔々《とうとう》と述べていると、決まってまえけんさんはかぶっている帽子を脱いでぼくを見つめる。ぼくは「めちゃめちゃハゲてるじゃないっすか！」と言って、「真剣に話してるんですよぼくは！」と抗議する。するとまえけんさんは「四の五の言っても、幸せになったもん勝ちよ」と言うのがお決まりのパターンだった。若造の机上の空論を蹴散らすにはとてもキレ味の鋭い〝笑い〟だった。

お通夜でお焼香の列に並んでいる時、「幸せになったもん勝ちよ」と言っていたまえけんさんは、幸せだったのかな？　と考えていた。天国にいるまえけんさんが現世で幸せだったと思い込んで安心したいのかもしれない。そう思うと自分がとてもズルいことをしている気分になったし、事実ズルい。

ぼくがテレビに出るようになってもまえけんさんは「おめでとう」とは言わなかった。メールで「今、幸せ?」という文章をよく送ってきた。ぼくは自分が今幸せかどうか考えたくなかった。都合の悪い答えが出たら嫌だったからだ。

今はわかる。まえけんさんは「幸せになりなさい」と言いたかったのだろう。

まえけんさんは映画を撮る(撮って観てもらう)のが夢だとずっと言っていた。『それでも花は咲いていく』という小説を書いて、それを原作に監督として映画を撮った。先日、家でその映画を久しぶりに観た。改めて観ると、おどろくほどまえけんさんが詰まっていた。繊細で、温かくて、変態で、孤独で、優しかった。まえけんさんは幸せだったのかな? と考えていたけど、その答えは全部この映画に詰まっていた。都合の良い答えじゃなかったけど、詰まっていたんだ。

昔、まえけんさんに「なんで俺が芸名をつけずに本名でやっているかわかる?」と聞かれたことがある。まえけんさんは残した。圧倒的に前田健を残した。

片頭痛

持病といえば、唯一片頭痛がある。小学生の頃からの付き合いだ。30歳になって仕事をたくさん頂けるようになった頃は毎日頭痛だった。

頭痛が出そうになると首や肩が痛くなって、視界がチカチカしてくる。目の上に熱した鉄の棒が何本も入っているような痛みだ。思考能力も落ちるし、気分も滅入る。市販の頭痛薬を毎日のように飲んでいた。これが、ぼくには全然効かなかった。毎日のように市販の頭痛薬を飲んでいると、耐性ができてしまうのだ。で、それでも飲み続けていると薬物乱用頭痛というのになってしまうらしい。先生曰く、ぼくはその一歩手前だった。だから、「月に何度も頭痛になる人は一度でいいから頭痛の専門外来に行って～」と言いたくなる。

医学番組のスタッフさんに頭痛外来を紹介してもらったのは今から5年前のことであった。小さい頃からの頭痛になるパターンを先生に話していると「典型的な片頭痛だね」と言われた。この時初めて自分の片頭痛が人にちゃんと伝わった手応えがあった。頭痛になったことがない人は、頭痛持ちに理解がなさ過ぎる。「気の持ちようだよ」などと、片頭痛の痛みを移植してやるからそれを是非とも気の持ちようで治してもらいたいようなことを言う。

その後、病院では目をつぶった状態で光を何度も浴びて刺激を受けやすいかどうか脳波（だったかな？）を調べる検査をした。その結果を見た先生が「なるほど」と呟いた。ぼくは刺激を受けやすい体質らしいのだ。刺激を受けて緊張すると血管が狭まり、仕事が終わった後にリラックスすると血管が広がる。それが刺激になって頭痛になる。先生は「繊細なんだね」と言って「だってほら君の相方は頭痛にならないでしょ？　図太そうだもんね」と笑っていた。

処方された病院の頭痛薬はとても相性が良く、それを飲めば頭痛は治まった。頭痛はどうしようもないと諦めかけていたので本当に救われた。

そして、今度はそもそもの頭痛が出ないようにする治療だ。予防薬を飲んで徐々に頭痛が出にくい体質を作っていくのだが、ぼくはこれがなかなかうまくいかなかった。いろんな方法を試した。漢方、サプリメント、入浴剤。しかし、どれも効かなかった。そこで辿り着いたのが鍼治療だ。

インターネットで調べていると頭痛に効くと書いてあったので行ってみた。すると、肩のあるポイントに鍼を刺すと頭痛の時に痛くなる場所にバッチリ響くのである。ちなみにぼくは、鍼にとても反応する体質らしく小児用の鍼を使っている。そこでも「繊細ですね」と言われた。

鍼に通い始めてからは頭痛の回数は幾分減った。なので、頭痛外来の先生と相談して予防薬は飲まなくなった。「完全に頭痛が無くなるにはどうすればいいですかね?」と先生に聞いたら「今の仕事辞めるしかないね」と本気で言われたところから考えるとかなりの進歩だ。

いろんな病院に行って、いろんなマッサージや鍼に行ったので、医学番組で頭痛をテーマにした時も紹介されたことは全部知っていたし、先生が話していたことも「一概には言えないんですよ」と専門家よろしく反論したりしていた。

例えば、頭痛は温めるのがいいか、冷やすのがいいか問題だ。これは、頭痛のタイプによっても違うので慎重にならなくてはいけない。ぼくは冷やす方が頭痛が出にくいタイプだった。なので、自分の車には叩くと冷たくなるパックが常備してある。収録終わりの駐車場で、車の運転席でパックを何度もパンチしていたのを共演者に見られ、収録でうまくいかなかったのを八つ当たりしていたと勘違いされたこともある。

ぼくぐらいの頭痛ベテランになると収録後の頭の感じで頭痛が出そうかどうかすぐ分かるので、出そうな時は冷やす。

登板を終えたピッチャーが肩を冷やしているようで、自分ではカッコいいと気に入っている。

鍼の効能

週に1、2回鍼治療を受ける。施術は1時間ぐらいなのだが、その時間はスマホも本も手にできないので頭の中で時間をつぶすしかない。

最近流行っているのは、人生では特に重要でなかったことをあえて思い出す作業だ。すると、何年も前のことを思い出し、突然正解を思いつくようなことがある。

例えば、10年ぐらい前に映画館でバイトしていた時の話。

ぼくは20歳の女子大生バイトEさんとカウンターで閉館作業をしていた。ぼくのひとつ年下の男の子のバイトNくんはその横でプログラムの整理をしていた。無言で作業をするのもなんなので「バイトは慣れた？」とか他愛もないことを聞いていた。すると、突然Nくんが立ち上がり「めちゃめちゃ口説いてるじゃないすか！」とぼくに向かって大声を出したのである。ぼくは当時27歳の売れないお笑い芸人だと卑屈になっていたので、今をときめく女子大生を口説くような気持ちは一切なかった。無言の気まずい時間が流れた後「口説いてないけど……」と呟くと、「いや、口説いてるじゃないですか！」と吐き捨てながらNくんは裏の倉庫に走って行ってしまった。

それを思い出し「あれはあいつがEさんを好きだったか、隠れて付き合っていたかのどっちかだったんだろうな」と数年の時間差で気づくのである。

思い出したからってなんのことはないのだが、なぜあの時そんなことに気づけなかったんだろうなと悔しいような、愛おしいような、そんな気持ちになる。

別のバイトの男の子のWくんの話。

Wくんもぼくのひとつかふたつ年下の子だった。ある日、牛丼でも奢ろうと店に入った。二人で飯を食うのは初めてで、あまりパーソナルなことは知らなかった。頼んだ牛丼を待っている間Wくんは「俺、何も盗まないんですけど空き巣に入るのが趣味なんです」と突然話し始めた。ぼくは内心ビックリして叫びだしそうなのを抑えつつ「え？どういうこと？」と聞いた。Wくんは「何も盗まずに他人の家に侵入して、ただ昼寝をしたりテレビを見たりしてしばらくしたら帰るのが好きなんです」と言った。「やめた方がいいよそんなこと！　捕まるよ！」とぼくが言うと「捕まるのあんま怖くないんですよねー」とWくんはめんどくさそうに遠くを見た。

あれから10年以上経った今「あれは嘘だったたな。ヤバい奴と思われたかったんだろうな」と突然確信する。あの時、「君、攻めるね〜」と言って構ってあげないことが、安易な注目の集め方に対する正解の返しだったのではないかと10年後の今反芻する。

小学生の頃、広島風お好み焼きのお店に家族で行った。その店はお好み焼きに必ずそばが入っていた。それを何枚か食べた後、親父が急にそば抜きのお好み焼きが食べたいと言いだした。それを親父が威勢の良さが売りのような店員のおばさんに伝えると「広島風にそば抜きなんて無いよ！　そば抜きが食べたけりゃ普通のお好み焼き屋に行きな！」とぶっきらぼうに言われた。すると、親父が突然キレて「そば抜きがあるかないかの話なんてしてねぇんだよ！　抜いてくれって言ってんだよ！」と突然怒鳴りだした。家族は止まらない親父の勢いに下を向いて、事が収まるのをただただ待った。そして数分後、ペラペラの薄い非広島風お好み焼きを無言で食べた若林家であった。親父、突然ぶっきらぼうに言われて恥ずかしくなってキレちゃったんだろうな。

そんな事を思い出す意味の無い時間。

情報の侵入の無い時間。

鍼の効能なのか郷愁による癒しなのか分からないが、帰り道、体がフッと軽くなる。

なぜ、こんなに怖いのか

小学校低学年の頃、インフルエンザの予防接種の注射をする時にあまりにも怖過ぎて泣きまくり結局打つことができなかったことがある。ぼくの名字は若林なので男子の中で出席番号が一番後ろで、すぐ後に女子が並んでいたのでとてつもなく恥ずかしかった。しかし、その時は注射への恐怖心が勝った。

そして、後日保健所に祖母と二人で注射の再チャレンジに行かなくてはならなくなった。そこは様々な小学校の様々な学年の〝注射が怖くて打てなかった〟児童だけが集まる異様な空間だった。自分の番が来ると怖過ぎて泣きじゃくりながらロッカーの上にのぼって、それを下ろそうとする保護者と看護師を上から足蹴にする児童。泣き叫びながら廊下を引きずられて医者の元に連れ戻される児童。びびりの中央区代表が集っていた。その様子を見て我に返り、なんとか注射をして帰った。帰り道に思う。「なぜ、クラスの中でぼくだけがこんなに注射が怖いのだろうか？」

「この恐怖心は本当にぼくが勇敢ではない〝せい〟なのだろうか？」

　ぼくは寂しかった。

　テレビの仕事で地方に営業に行くようになったのが30歳の頃だった。ぼくは飛行機が怖かった。

　機長は信用できる人間なのだろうか？

　機体をチェックした人間は責任を持ってチェックしたのだろうか？

　それをどんな理由で信頼すればいいのだろうか？

　みんなは平然と座席に座っている。なんなら離陸前から寝息を立てている豪傑までいる。怖い。怖過ぎる。なんなら、飛行機に乗る仕事を断りたい。だが、断ったらお笑いの仕事ができなくなってしまう。

　なぜ、こんなに怖いのだろうか？　そして、この怖さはぼくの〝せい〟なのだろうか？　みんなは最初は怖くてそれを克服して平然と飛行機に乗れるようになったのだろうか？　いや、違う。あいつらは〝最初〟から怖くなかったのだ。それなのに、ぼくのことを「ビビリ」だとか言って「飛行機揺れるって〜」なんていじってくる。おかしいのはどっちだ。

　失恋。失恋した時に思った。なぜ、こんなに辛いのだ。何も食べられない。なんならバイト中にも頭が締め付けられるように痛く、胸の奥底から悲しみが固まって結晶化したものがこみ上げてきて体全体の力を奪う。表情も奪う。それが、3ヵ月も続いているじゃないか。みんなはどうだ。失恋したと言って、酒を飲みカラオケで間奏の時に「新しい恋見つけるぞー!」と叫び、3ヵ月後には本当に新しい恋を見つけたりしてるじゃないか!

恋を半年も引きずってしまうのは、本当にぼくが悪いのだろうか? みんなはぼくぐらい辛い所から始まって何か特別な訓練をして克服したのだろうか? ぼくはそれをやっていないから責め立てられなければいけないのだろうか?

明るくて前向きな人間は、暗くて後ろ向きな人間を無視してぐんぐん進む。一瞥《いちべつ》もしない。

明るくて前向きな人間は、暗くて後ろ向きな人間を無視して、明るくて前向きな人間と恋をして飯を食って踊る。

なぜ、自分だけがこんなに怖いのか。

こんなに気にするのか。

こんなに疲れるのか。

知りたくて本を読む。小説からエッセイから精神分析から脳科学から読む。そして、それよりも経験に学ぶ。

特に傷から学ぶ。

傷からしか学ばない。

経験する。

似たような失態を何度も経験しながら生きる。何年も生き続ける。すると、注射どころか最近は自分から鍼治療に行くようになる。飛行機でも離陸前に寝る。怖かった犬を飼ってみようかと思う。女の人に「気持ち悪いおじさん」と言われても、「へへへ」と頭を掻く。すると、最近生まれて初めて考え過ぎな人間に「考え過ぎだよ」と思った。

なんて残酷な感情なんだ。

キューバへ

初めての海外一人旅でキューバに行ってきた。安全で、ネットが繋がらなくて、日本では見られないものと食べられないものがなるたけある旅行先を探していた。それにピタッと当てはまったのがキューバだった。文字数に制限があるので3泊5日のうちの3日目の昼下がり、ハバナの旧市街を散歩した時のことだけを書く。

観光客でごった返すオビスポ通りから一本、二本と道を外れるごとにローカル臭が増す。色とりどりのコロニアル様式の建物が立ち並ぶ。何年前に建てられたものだろうか、随分古く感じる。無数の洗濯物が強めの日差しを受けて風に揺られている。所々、道に穴があいているので足を取られないように気をつけて歩く。財政が厳しくてゴミがあまり収集されないらしい。たまにゴミの匂いが鼻をつく。そう考えると、東京は歩いていて臭いと感じることがあまりない。あまりにも臭くないと、少し臭いだけで人は騒ぎ立てるようになるのかもしれない。

「カストロやゲバラが革命を起こしていなかったら、この道も日本人一人で歩けなかったかな？」

「……そうかもな」

至る所からキューバの陽気な音楽が聞こえてくる。バーから漏れ出した音に乗って手首にビニール袋をぶら下げた80歳ぐらいの老婆が軽快にステップを踏んでいる。

「こういう音楽好きそうだね」

「いいね」

道にテーブルを出してドミノに興じるキューバ人。牌を叩き付ける音が心地よい。子どもが騒ぐ声が聞こえるので視線をやると、上半身裸のキューバ人の子どもが台車に乗って坂道を猛スピードで下っている。坂の終わりに停めてある車のドアに勢いよく激突すると、車の防犯ブザーがけたたましく鳴り響く。それを聞いて子ども達は爆笑している。激突しては坂を上り、何度も何度もそれを繰り返している。

「俺も子どもの頃、あれぐらい大きな声で笑ってたよ」

「そうか」

突然、キューバ人の男に話しかけられた。スペイン語と英語を混ぜて話しているのだろうが何を言っているのか分からない。「ノ、エスパニョール」と言っても、話す勢いは全然衰えない。「chino?」と聞き取れたので、「ハポネス」と答えると「japonés, japonés」と頷《うなず》いている。「girl」と言っているのが何度か聞き取れたのだが、売春婦を紹介したいのだろうか？「ノ、グラシアス」と言って歩を進める。

「あいつなんて言ってたのかな？」

「……」

「英語だったら分かるんじゃないの？」

「……」

住宅街にポツンと土産物屋があった。中に入ると、キューバ人の女性店員がモップがけをしていた。ぼくには気づいていないようだ。あきらかに偽物のCOHIBAと書かれた葉巻入れ。cubaと書かれたバットのミニチュア。これはなんだろうか？紙に砂絵のようなもので、カミロ・シエンフエゴスが描かれている。世界中でゲバラは人気だが、キューバ人はゲバラと同じぐらいカミロも愛していると昨日ガイドに聞いた。振り返ると、女性店員がモップがけの手を止めてこちらを見ていた。「クアント、エス？」と聞こうとしたのだが、店員の綺麗な顔に見入って言うのを忘れてしまった。すると突然「Hola」と微笑まれたので「……オラ」と返して砂絵のようなものを元の位置に戻してそそくさと店を出た。振り返ると、店員はモップを持ったまま入り口から上半身だけを出してこちらを見ていた。その奥にはスパニッシュコロニアル様式のカラフルな建物がずっと奥まで続いていて、そういう景色をぼくは一度も見たことがなかった。

「いやぁ、綺麗な人だったね」

「そうだな」

すれ違う人は誰もぼくのことを知らないし、失笑もしない。ネットが繋がらないので、3日間日本のニュースは何も知らない。

「ざまあみろ」

「……ははっ」

そのままぐんぐん進むと、マレコン通りに出た。道を行き交うアメ車のクラシックカーを縫って反対側に渡ると大西洋が広がっている。堤防にのぼって腰を下ろすと強い日差しを溜め込んだコンクリートの熱がケツを蹴り上げる。磯の香りとゴミの匂いをブレンドしながら海風が運んでくる。どこかの匂いに似ている。そうだ。川沿いが整備される前の、子どもの頃の隅田川の匂いだ。

スマホに死んだ親父の画像を映し出し「ねぇ、親父」と話しかける。

机に座って考える？

2、3ヵ月に一度くらいのペースでライブをやっている。ライブ前になると漫才のネタ作りに入る。最近ネタを考える時に気になっていることがある。「机に座って考える」というスタイルは本当に合理的なのかどうかである。

ぼくの場合アイデアに詰まった時、ずっと同じ場所に座っていると更に詰まる。そんなことを考えていた矢先、ヘミングウェイが原稿を書く時に立って書いていたという話を聞いた。立つとちょうど良い高さにタイプライターを置いていたらしいのだ。いや、ヘミングウェイと自分を並べるなどという烏滸《おこ》がましい気持ちは毛頭ない。その話を聞いた時に妙に腑に落ちたという話だ。

ぼくはアイデアが浮かばない時、歩き回った方が打開策が生まれることが多い。稽古場だと大体ぐるぐる歩き回っていて、思いついたらパソコンに書き込んで、またうろうろする。ずっと稽古場を反時計回りで歩いていると目が回って気持ち悪くなる。なので

「ルームランナーを稽古場に置いていい？」と社員に聞いたら、言い終わる前に「無いっすね」と却下された。それはそうだ。邪魔である。

外のコーヒーショップとかで作業をする場合、歩き回れない代わりに貧乏揺すりをしたい。でも、貧乏揺すりは公共の場では憚《はばか》られる。貧乏揺すりし放題の店があったら間違いなく常連になるだろう。「自宅で書けば？」と、言われるのだが自宅だと詰まるとすぐ自慰行為をしてしまうのでダメだ。

貧乏揺すりの代わりを思いついた。昔の映画なんかでいかがわしい社長みたいな人が胡桃《くるみ》を2個手に握って転がしている、あれだ。

ネット通販で「胡桃　2個」と検索した。期待はしてなかったが、あったのだ。プラスチック製の胡桃の2個売りが。ボケ防止グッズだという。ネタ作りの場合はむしろボケを加速させたいのではあるが。

それはそれとして、早速注文して今はカフェでそれを手の中で転がしている。捗《はかど》っている、筈である。

ネタ作りといえば、少し前までは構成作家の友達にたまに同席してもらっていた。だが、ここ数年はもっぱら一人で作業している。作家の友達が結婚して子どもが生まれたので誘いにくいのである。友達本人は「全然誘ってよ」と言ってくれるのだが、ネタ作りを始めるのは大体一日の仕事が終わった後の深夜だ。友達は良くても深夜に旦那に出て行かれる奥さんの心中は穏やかではないだろう。そんなこんなで最近は最初から最後まで一人だ。皆さんは芸人がネタ作りをする時に、なぜ作家がいた方が良いのかピンと来ないかもしれない。何が良いかというと客観的な視点が入ることだ。

例えばこのあいだ「ロートのCMで鳩がいっぱい飛んでることって今の若い子分かるかな?」と聞くと「『SMAP×SMAP』でそのCM流れてたから分かるんじゃない?」という情報を提示してくれたりする。そういった情報はネットで検索しても出てこない。事実、ネタ番組の収録でもロートのCMのくだりは若い人にも伝わり安堵した。あとは、一人で考えているうちに笑いのエアポケットみたいな所に入ってしまい、とてつもなくおもしろくないことをおもしろいと感じてしまう魔のゾーンがある。そういう時に、目の前に第三者がいるとブレーキをかけてくれたりするのでとても助かる。あ、もちろんその辺の感覚を自分で全部持っている優秀な芸人さんはいっぱいいますよ。ぼくがその感覚が鈍いだけです。

20代の時は、売れたらブレーンと呼ばれる人に囲まれて綺麗な会議室でネタ作りをする夢を見ていたが、結局コーヒーショップのチェーン店で一人作業に落ち着いている。

台本が出来上がると、稽古場に相方を呼んで稽古が始まる。

スポーツジム帰りで汗だくで来るので、汗がつかないためにも本番より距離は開いている。

お悩み相談

　このあいだラジオが終わった後、出待ちの若い男の子に「彼女に振られて何ヵ月も立ち直れないいんですけどどうしたらいいですかね？」と深刻な表情で聞かれた。急だったので頭が回らず「新しい恋をするしかないいんじゃないの？」という似つかわしくもない返答をして話は終わった。

　依存されたらめんどくさいので悩み相談されるのは好きではないが、一介のお笑い芸人に相談するぐらいだからこの男の子は相当辛い日々を送っているのだろう。

　20代の時、失恋を6年ぐらい引きずったことのあるぼくは、当時彼女を忘れるためにいろんなことを試みた。まず、忘れるために彼女を嫌いになろうとノートに嫌なところをできるだけ書き出してみた。
・ミーハー
・向こうから会う約束をしてこない

・スピリチュアルの話が長い

などなどである。しかし、書けば書くほどさほど悪いことと思えずあまり効果はなかった。

ウォン・カーウァイ監督の『恋する惑星』という映画で、失恋した金城武が公園をひたすら走っていたシーンを真似てぼくも走ってみた。

逆効果だった。

走れば走るほどアドレナリンが出るのか強気になって、そのまま走って彼女に会いにいきたくなってしまうのだ。

その葛藤が暴発して、自暴自棄となり、Tシャツを脱ぎ上半身裸のまま公園の生け垣に突っ込んでいってしまった。体は傷だらけになった。一種の自傷行為だったのだろう。

それでも忘れられない。

そんな中でも意外にも気分が楽になったのは、電車に乗っている時に見かける美人だ。「これだけ綺麗な人が世の中にたくさんいるなら絶望することもないな」という想いは、浅はかだと自覚しながらも希望となった。

自信のない人は、失恋すると自分に価値が無いと思い込む。相手と合わなかったんだなと思えず、自分が悪かったと思い込む。その価値を取り戻すために相手を取り戻そうとするが、それは独りよがりなので相手にとっても自分にとってもロクなことはない。

自分に自信がある人は、相手と合わなかったんだと思えるから新たに合う人を探すために逞《たくま》しく立ち上がる。それに、相手は別れることを望んでいるのだから、相手のことを本当に思っているのなら別れるのが筋だ。

理屈ではそうだが、果たしてそのぐらいの理屈で人は変われるだろうか？

変われないと思う。

自分に自信が無い理由を、精神医学や心理学に頼ったところで原因は分かるかもしれないが気休め程度にしかならないだろう（逆に言えば気休め程度にはなる）。で、ぼくの結論は「自己否定とまともに闘ったところで勝ち目がない」というものだ。

失恋して何ヵ月も辛い。

何が辛いのか？

それは失恋によって自分を責める時間なのではないだろうか。経験上、自己否定は完治を目指すのではなくシャットアウトという対症療法が一番有効だ。

シャットアウトに効果を発揮するのは没頭だ。それは、仕事かもしれないし、趣味かもしれない、友達と会うことかもしれないし、アイドルを応援することかもしれない、無料のゲームアプリかもしれないし、筋トレかもしれないし、新しい恋かもしれない。

とにかく自分が「楽しい」と思えることで時間を埋めまくるのだ。なるべく金がかからないものがいい（金がかかるものは、そこに付け込んでいるから）。それを何ヵ月も（何年も）続けて、いつのまにやら「あれ？　そういえばあんまり考えなくなったな」という時が来ればしめたものだ。

想いに苦しめられる時、脳は味方だろうか？　敵だと思う。

脳に人差し指を当てて「お前には負けない」と言うべきだ。

38歳の独身男が偉そうにすいません。参考にならなかったかもしれないけど、ぼくの意見は以上です。もう出待ちで相談してこないでね。

ぼくは紅茶を「飲みたい」か？

高校の頃、いつも遊んでいた友達の友達の家に遊びに行った。その人は、そこいらの地区では有名な不良だった。

親が旅行でいないという不良の家に、泊まることになった。遊びで、誰か一人がガムテープで体をぐるぐる巻きにされて、みんなに不良の家の車のトランクに投げ込まれるというくだらないことをやっていた。

自分の番が来た時に、ぼくは大げさに「やめろー、やめろー」と言ってみせて不良の顔をチラチラと見てはご機嫌をうかがっていた。ぼくのリアクションを気に入った不良は、「若ちゃん」とぼくのことを呼び始めた。

不良に認められたようで嬉しかった。

で、部屋に戻り麻雀《マージャン》をやることになった。麻雀のメンバーの余りとなったぼくと不良は、対局を見守っていた。不良は立ち上がり紅茶を淹《い》れ始めた。キッチンのポットに水を入れている不良に「若ちゃんも紅茶飲む？」と聞かれた。それを聞いた時の不良の感情が読み取れなかったので、ぼくは「飲む」と答えるのと「飲まない」と答えるの、どちらが不良にとって好ましいのか迷った。迷った末「うん、飲む」と答えると、何も言わず不良が紅茶を淹れ始めた。その横顔を見て「いらない」と答えたほうが正解だったか、と、焦った。

「やっぱりいらないや」

慌てて言った。

「なんだよ、どっちだよ」

不良は乱暴にティーバッグを缶の中に戻した。

嫌われたかもしれない。

ぼくはその一言がずっと気になって、それからずっと麻雀をしながら不良の機嫌が良くなるようにドジなピエロを演じ続けた。

この時のことをなぜかよく思い出す。あの時、ぼくは自分が飲みたいかどうかを1ミリも考えなかった。ただただ、不良の正解は何かを探っていた。

ご機嫌をうかがっていた。

これこそが、人生の満足度を大きく左右するY字路なのではないだろうか。自分の気持ちを優先するか、相手の気持ちを探るか。どっちかではないだろう。バランスだろう。相手の気持ちを気にし過ぎる人は病気になって、自分の気持ちを優先し過ぎる人は自己中心的だと嫌われるだろう。ただ、他人の気持ちばかりを気にしている人は、そのカーソルを自己中側に少しだけ移動させるほうがいいのかもしれない。

他者の気持ちばかりを探ってしまう心はどこで生まれるのだろう。持って生まれた性格。それもあるだろう。ただ、これを知ったところでどうにもならない。スヌーピーの言葉を借りるならば「配られたカードで勝負するしかない」。

では、後天的な理由はなんだろう？

親。親の顔色ばかりをうかがって子ども時代を過ごした人は、大人になってからも他者の顔色をうかがう癖がつく。「しくじり先生」の収録で、先生役の方のエピソードを聞いていて何度か感じたことだ。ぼくは子ども時代、親にしょっちゅう嘘をついていた。

小学校の時に、隣のクラスに常に30㎝の竹のものさしを持ち歩いている児童がいた。そいつは、ぼくと廊下ですれ違うと必ずぼくの太ももをものさしで思いっきり引っぱたいてきた。ぼくは叩かれる度に泣いていた。それが親の耳に入った。親父は昔気質《かたぎ》の江戸っ子でぼくに勇敢であることを求めていた。親父は「次に叩かれたらやり返せ」と言った。

ぼくは後日またものさしで叩かれて泣いたけど、家では「叩かれたけどやり返したら、そいつは廊下ですれ違う時にぼくを避けて通るようになった」と嘘をついた。

親父はぼくを誉めた。

その後もぼくはそいつに太ももをものさしで叩かれては泣き続けていた。「やり返したいけど、怖いからできない」となぜ言えなかったのだろうか？　不良に「紅茶飲む？」と聞かれて、自分の気持ちを素直に言えるようになるための第一歩は「自分に自信を持つ」みたいなしょうもない絵空事じゃない。自分が臆病であることを認めることである。そして、それを大いに笑ってもらうことである。

自分に自信を持つのはその後だ。

ヌードルハラスメント

この連載が出る頃にはすっかり忘れ去られているだろうが、ヌーハラことヌードルハラスメントについて。

最初にこの言葉を目にしたのはYahoo!ニュースだった。ヌードルハラスメントとは、ラーメンなどの麺類の店で日本人が「ズズズ……」と麺をすることに、外国人観光客が精神的に苦痛を感じることらしい。なにか引っかかって、ヌーハラを扱っていた番組の録画を見てみた。外国人観光客に麺をすする音をイヤホンで聞かせて、コメントを求めている番組があった。外国の方は「行儀が悪い」「ブタみたいだ」とコメントしていた。

疑問に思ったのだが、人がなにかを食べる音をイヤホンで聞かされて良い気のすることってあるのだろうか？「日本人が麺をすすることについてどう思いますか？」と率直に聞かずに、あえてイヤホンで聞かせたのはそのほうがネガティブなコメントを引き出しやすかったからではないだろうか？

そして、言葉。

ヌードルハラスメントという言葉は和製英語だ。試しに、noodle harassmentと打ってTwitterで検索してみた。すると「日本でこういう報道がされているらしい」というツイートは検索に引っかかるものの、一般の外国の方が日本に来てそうつぶやいているものは見つからなかった。となると、一体誰が麺をすする音を「ヌードルハラスメント」と言い始めたのだろうか？　和製英語なので、日本人自身ということになる。近頃流行のハラスメントにくっつけ、ヌーハラと略語にすることで素早く広まることを狙ったのだろう。

この言葉を作ったのは誰で、狙いは何だったのだろうか？

実際に「日本人が麺をすする音が嫌だった」と言っている外国の方は何人ぐらいいるのだろうか？

ネットで「一般の日本人がTwitterでつぶやいたものが拡散されて、それがやがてテレビ番組に取り上げられた」と書いてあった記事を読んだ。テレビ番組ではいろんなタレントさんが実際に外国人がヌーハラを訴えているということを前提として「麺をすする音が嫌なら日本に来るな」などとコメントしていた。そして、それが共感を呼んでいた。共感を呼ぶであろうことが予《あらかじ》め分かっている人が「ここは日本だ！」とコメンテーターが目くじらを立ててコメントするまでをデザインしているかのような印象を受けた。「怒らされている」気がした。

そして、このニュースを追って取り扱っていた番組では、前述の麺をすする音をイヤホンで聞かされた外国人旅行者のコメントが使い回されていた。なぜ、実際に麺をすする音に不快な気持ちになったという外国人のSNS上のコメントを匿名でも拾ったり、街頭インタビューでの円グラフの割合などが放送で紹介されなかったのだろうか？　答えは「問題にするほどは無かったから」ではないだろうか？　頭の中に、誰かが教室にゴムのヘビのおもちゃを投げ込んで教室内がパニックになるイメージが浮かんだ。おもちゃのヘビに向かって「噛まれたら危ないだろ！」「教室からつまみ出せ！」と言っているのではないだろうか？　本物のヘビのことはいくらでも議論すべきだと思うが、実態のないものに怒らされているとしたらそれは不気味だ。

番組の収録で「ヌーハラについてどう思いますか？」ともし聞かれたら「そんなことを言っている外国の方は問題にするほどいないと思います」と答えてもいいのだろうか？

最初にも書いたが、この連載が出る頃にはヌードルハラスメントは忘れ去られているだろうが、ゴムのヘビを投げ込む人がいるということは覚えておきたい。

トム・ブレイディ

ここ数年、ロケでNFLのスーパーボウルに行かせてもらっている。アメリカ人でも一生に一度見られるか見られないかと言われているスポーツイベントなので、汐留方面には足を向けて寝られない。今年のスーパーボウルはヒューストンで開催された。今帰りの飛行機の中でこれを書いている。

ヒューストンにはNASAがある。NASAにもロケに行かせてもらったのだが、そこでなんと！　宇宙飛行士の野口聡一さんにお会いすることができた。何か質問する度にひとつジョークを付け加えてくれるとても気さくな方だった。野口さんにロケット発射する前は怖くないのかと聞いたら「怖くないですね」「なんか大丈夫な気がしちゃうんですよね」と笑いながら答えてくれた。

これだよな。と感心した。

ぼくが手に入れることのできなかった、この内発的な安心感。こういうものを持っている人はとても強くて朗らかだ。そして、展示されているロケットの前で野口さん（大学時代アメフト選手）とキャッチボールをした。ロケットの横を綺麗にスピンのかかったアメフトボールが飛んでくる。キャッチボールはなんでこんなにも心が通うのだろう。ぼくは映画『フィールド・オブ・ドリームス』のキャッチボールのラストシーンがすべての映画の中で一番好きだ。

スーパーボウルのチケットはプレミアムチケット。超高額だ。よって裕福な人しか来ない。当然、ロケではアメリカの光と影の光の部分しか見ない。それでも、スタジアムの中でチームのユニフォームで揃えた3世代連れのファミリーを見たりすると「いつまでもこういう光景が続くといいな」と素直に思ってしまう。そして、そのすぐ横で軍服を着た若者がライフルを持ってテロの警戒にあたっている。

ワンシチュエーションにアメリカが凝縮されている。

今年のハーフタイムショーはレディー・ガガだった。

ガガ様はスタジアムの屋上からフィールド上のステージまでワイヤーを使って降臨した。単純にその高さから、このショーに命を懸けていることが伝わってきた。ステージは「素晴らしい」というよりは「狂っている」と言ったほうが適当のような気がした。

つまり、めちゃくちゃ良かった。

試合のほうは、ニューイングランド対アトランタだった。

ニューイングランドのQBトム・ブレイディとヘッドコーチのビル・ベリチックは、トランプ大統領の友人らしい。

ぼくはブレイディが嫌いだ。過去4度もスーパーボウル王者に輝いていて、世界のトップモデルの奥さんがいて、とんでもない豪邸に住み、トランプ大統領とおそらくものすごいラグジュアリーなパーティを開催しているだろうからだ。

それにブレイディが勝ったら、やっぱりこの世界は、イケメンで、頭が良くて、負けず嫌いで、たえず努力して、どんなときも冷静で、その上結果を出さないと楽しめない世の中のような気がするじゃないか。

だが、試合は奇跡としか言いようがない大大大逆転でニューイングランドが勝った。

まさに現在進行形で神がかっている人間（ブレイディ）というのを生で初めて見た。厳密にいうと、アドレナリンやドーパミンが大量に放出されているのに恐ろしく冷静という状態の人間を見た。そういった人間は、たった一人で7万人の観客を総立ちにさせた上で黙らせるのだ。冗談ではなく、ブレイディはこれでアメリカではマイケル・ジョーダンと肩を並べるかそれ以上の存在になっただろう。嫌いという感情をここまでぐうの音も出ないほどひっくり返されたことはない。

絶対引退しないでほしい。ぼくはブレイディが大好きだからだ。だからこそ、まったく価値観の違う若者に吠え面をかかされている姿を見てみたいのだ。このまま伝説になるなんて許せない。

おっさんはホスト

高校の同級生に久しぶりに会った。そいつは新入社員の時期に「部下のがんばりを会社全体が認めていない」と社長室に乗り込んで意見し、社内でも有名になった男だ。社長にはあっさり「うん、与えられた仕事を黙ってやってね」とたしなめられたらしい。それから15年、そいつは今かなりの人数の部下を抱え、会社では上から5番目という立場らしい。

「お前みたいな奴が、自分が若い頃の態度を棚に上げて『最近の若い者は……』とか言ってんだろ?」

「あー、その時期は過ぎたよね」

「過ぎた?」

「不平不満ばっか言って仕事しない部下もいるけど『ぼくがやります』って奴もたくさんいるからそういう奴にお願いしてるよ」

「へー、仕事しない人には注意したりしないの？」

「しないねー、時間の無駄だし、やる気のある奴を伸ばす方が会社にとって良いからさー」

なんて生意気なことを言っていた。

未だに人見知りというイメージが消えないぼくだが、最近周りの環境の変化に驚くことがある。共演者やスタッフに年下が多くなってきたのだ。マネージャーも現場では全員年下だ。となると、こっちの方が経験があるから知っていることが多い。当然、こっちから話しかける頻度は増える。そんな状況で人見知りなんて成立しないのだ。若者は社会のゲストで、おっさんはホストだ。昔のぼくは、お客様だから人見知りなんてしてられる余裕があったのだ。

例えば、テレビの仕事をもらい始めの頃は、MCのレジェンドの方に挨拶に行くのにどうしてもドアをノックする勇気が出ず、廊下を8往復ぐらいしていた。しかし、今ぼくが司会をやらせてもらってるレギュラー番組で、ゲストの若い子が緊張しているとすれば「VTRを見て感想を聞くだけの番組なんで気楽にね」なんて言ってみたりする（「人生のパイセンTV」にて）。その際、企画の趣旨を守るのはぼくの役目となり、破壊するのはゲストの活きの良い若い子ということになる。

若い子はステージにギターを叩きつけるのも似合う（今の時代はもうあんまりないか）。「コラ、コラ、コラ……」と咎めるのはおっさんの仕事だ（その方が盛り上がるから）。ぼくらの漫才で相方が遅れて出て来るのは、元気よく袖から出てきて「よろしくお願いしまーす」なんて丁寧に挨拶する漫才師への青いアンチテーゼだった。テレビに出る前は、ぼくも遅れて出てきて挨拶はしなかった。それは今思えば単なるスカシで、中身のないものであるけど、なんにせよ若い時にはそういうものが割と似合う。

だが、今は違う。自分でライブを主催して、告知をしておいて、来てもらったお客さんに挨拶をしないって意味が分からない。遅れて出てくるなんてスカシは、会社や先輩が主催してくれたライブに呼んでもらう立場だったからできたことなのだ。

あんなに若い頃嫌いだった飲み会だってそうだ。自分達でライブを主催したとなると、参加してくれた芸人さんへの感謝の示し方が確かに飲み会しかないのだ。でも、若い時ぼくが嫌いだったのもあり、参加しない人がいても寂しさはない。

冒頭の同級生の話もそうだが、若い子に批判精神は似合う。「それを言っちゃあおしまいよ」というのはおっさんの役目だ。若者は批判さえすればイデオロギーを持っているように見せられる時期がある。だが、おっさんは批判した場合すぐに代案を求められる。ホスト側の責任があるから。壊して終わりじゃない。批判は割と簡単だ。だって完壁なものってこの世にはないから。批判は一瞬で、創造は一日にしてならない。だから、ぼくは歳を取ることに恐怖心を持っている若い男と評論家（代案を出さなくて済む職業だから）を信用していない。ぼくにも「お前の批判芸もういいわ」という時期がとっくに来ている。なので、アンケートに「世の中への不満を書いてください」と書いてあったりすると困る。ふくれた下っ腹に、世の中への不満はあまり似合わないのだ（痩せればいいのだが）。

かつて憧れた批判精神の塊のようなロックスター達はおっさんになってダサくなる前に舞台を降りた。ギターを叩きつけた後の世界で、アカペラで納得してもらわないといけない地平はなかなかに厳しい。

目の前で少しふくらんだお腹をジャケットの間から覗かせて、ＩＱＯＳを吸っている同級生は批判を受け止めて創造の仕事をしているのだろう。

新入社員の時に、営業をサボって売れない芸人のぼくの家に来て、ゲームをしていた男にはとても見えなかった。

47年おつかれさまでした！

グルメの企画をスタジオで見ている時に、自分はあまり興味がないのだろうと思っていたのだが、最近そうでもないような気がしてきた。男が行く店特集のような企画でそば屋や牛丼屋などが紹介されると、かなり食いついてる自分がいる。そういえば、わざわざ休みの日にお気に入りの調布のそば屋まで車で行くことがあるし。美味しいナポリタンがある洋食屋は、混んだら嫌なのでテレビでは紹介したくないし。新宿の中華料理屋さんの餃子《ギョーザ》が好きで常連になっている。今こうして並べてみると全部1500円以下のものばっかりだ。自分の金銭感覚と相性のよい食べ物が好きなのだろう。行かないであろう店のVTRを見る時に食いつきが甘い。今思い出したのだがドラマ「孤独のグルメ」は欠かさず見ている。

行かないであろう店。やっぱり、フォーマルな格好で行かないといけないような店には興味が持てない。コースで出てくる料理が苦手だ。テーブルに食べるべき料理が全部並んでいて、自分で食べるペースをコントロールできるのがよい。体に悪いような早いペースで飯はかき込みたい。食べ方も何も気にせず汚く食べたい。コースで出てくるような店でこじゃれた料理が出てきた時に女の人が猫撫で声で「おいしそ～」とか言っているのを聞くと、なんでだかわからないが腸《はらわた》が煮えくり返ってくる。

まあ、いいや。

なんでこんな話を書いているかというと、10年以上通っていた定食屋さんが閉店したのだ。定食。テーブルに食べるべき料理が全て並んでいてほしいぼくとしては最高の形態だ。

店が入っていたビルが取り壊しになるため、店じまいにするということだった。なんてことはない（と、言ったら失礼だが）街の定食屋さんで、席数は15席ぐらいのこぢんまりとしたお店だった。しょうが焼きは絶品で、肉の焼き加減とたれの味が抜群だった。定食のしじみ汁も優しい味わい。肉じゃがなんて、大将の優しい人格がそのまま料理となって現れたものとしか考えられなかった。いや、全ての料理がそうだった。優しくて、繊細で、かといって薄すぎず味はしっかりしていた。大衆食堂だからといって手抜きはもちろんなくて、逆に余計なプライドもなかった。大将は寡黙で、有名人のサインを飾るような店ではなかった。その店はふかわりょうさんも常連だったらしくて、店が閉まるとなった時に大将から「若林くんにも伝えておいて」と言われたらしい。たまたまふかわさんとテレビ局のトイレでバッタリ会った。その時、ぼくの顔を見るなり「よかったー」と呟いたので何事かと聞くと「あのお店閉店するんだって」とのことだった。

それを聞いたのは店じまいの2日前。その2日間は店の営業時間内に仕事が終わらないスケジュールだった。3日後、もう食べられる訳じゃないのに、ぼくは定食屋さんまで車を走らせた。店の前に立つとすでに看板が取り外されていた。店のドアに「閉店のお知らせ」と張り紙がしてあった。それに続く大将の文章に、ぼくはみぞおちを摑まれてその場に立ち尽くした。気づいたらスマホのカメラのアイコンをタップして、店の窓にまだ貼ってあったメニューの写真を撮っていた。

テレビに出る前、腐れ縁の佐藤満春と二人で飯を食った。腐りかけのぼくらの心を柔らかい唐揚げが蘇らせた。前の彼女ともご飯を食べた。サバの味噌煮を食べていて、お箸の使い方がとても綺麗だった。ある日はばったりタモリさんに会った。

「何してるんですか！」

「こっちの台詞だよ」

「ぼく、ここの店常連なんですよ」

「お前わかってるな」

と、言ってもらえたのが嬉しかった。

仕事と仕事の合間に寄った時は、ミスをして痛めた心をかにクリームコロッケが慰めてくれた。急に忙しくなって、気がおかしくなりそうな時にはポテトサラダが正気を取り戻させてくれた。

もう食べられないのか。味が芯まで均等に染み込んだ肉じゃがをもう一度食べたい。代わりの店なんてある訳ない。47年間おつかれさまでした。

ベストスコア

まさか自分がゴルフにここまでハマるとは予想していなかった。周りにも意外がられる。ゴルフは社交のイメージがあるけど、ぼくがハマったのは逆にゴルフが孤独に対する受け皿が大きいからだった。

例えば、仕事終わり。彼女も居なければ、友達も居ない。となると、24時間営業しているゴルフの打ちっぱなしがぼくの孤独を受け入れてくれる。

まったく上達しないゴルフ。下手の横好きなりに打ちっぱなしで考える。肩が開いている？　頭が上がっている？　そもそもクラブの握り方が違う？　そんなことを考えている時間が、未だに折り合いを付けられない仕事においての不甲斐なさを責め立てる時間を上書きしてくれる。帰りはアラフォーの男には丁度良い疲労感を抱きつつ、備え付けのおしぼりで手を拭いて、車で30分弱の道を家までドライブ。

また別の日は、テレビを見ていて他の芸人の凄まじい才能を見せつけられて劣等感を刺激されそうな所でリビングにパターマットを出し、ボールを打ってみる。2メートルちょっとの穴に何回かに一回入るささやかな快感が、劣等感に苛《さいな》まれるという人生でも超無駄な時間を何かをしている時間に変えてくれる。

この歳になると上達することがなかなか無い。性根は一向に改善されないし。前向きな性格なんて死ぬまで手に入らないし。急におもしろくならないし。誰かのハッとする言葉にもうハッとしなくなっている。何歳になってもあくなき挑戦を続ける原動力となりうる自己実現の欲求がもう無い。そんなぼくに突然やって来た少しずつ上達するもの、ゴルフ。右に曲がってたのが、左に曲がるようになり、たま〜に真っすぐ飛ぶ。

ゴルフには接待や社交といった、めんどくさいコミュニケーションのイメージがあった。だが、実はこれがそうでもない。早朝、ゴルフ場にはみんな別々に集まる。ラウンド中は主にゴルフの話しかしないので、本音を強引に掘り出されたり、本気を提出しなきゃいけない局面が無い。終わったら、心地よい疲れと共に帰宅するのであの忌まわしい二次会が無い。それでいて、一度ゴルフに行った方々と後日仕事現場で会うと妙に打ち解けている。もうちょい早く始めとけば良かったよ。そして、夕方前に帰宅して、少し昼寝をして起きてても夕飯前。その後、パソコンでも開けば休みの日に何も仕事をしない罪悪感からも逃れられる。おい、ゴルフ、やる前に抱いていたイメージと反して俺の好みに沿い過ぎているぞ。

ゴルフの不思議。力を抜いた方が飛ぶこと。

高校時代、アメフトをやっていた。試合前はロッカールームでチームメイトとビンタを張り合い、雄叫びを上げる。10代の頃はそれでよかった。

だけど、ゴルフ。構えた時に、まず遠くに飛ばそうという欲を消す。方向を確認した後は、ボールをクラブが当たるまで最後まで見つめる。目標を見ないで今日だけ。今だけ。遠い夢はもう見ない。力を抜く。力んだ方が飛ばないから。試しに、打ちっぱなしで思いっきり力を入れて振ってみて、その後に力を思いっきり抜いて振ってみた。力をこんなに抜いた方が良いスポーツなんて今まであったかなぁ？　とボールの行方を見ながら考えていた。

力を抜いて、欲を捨て。結果を意識せず、今ここに集中する。まるで、禅のようだ。

ここまで書くとぼくがそこそこゴルフができそうに読めてしまうかもしれないが、未だに110台を行ったり来たりするヘタクソだ。毎回ゴルフ場に行ってはうまくいかず「もうゴルフなんてしない」なんて思うのに、なんでまた行くのだろうな。逆に、たまたまうまくいく日もあって、なんでうまくいったのかがよくわからない。人生や仕事と似ているのかな。そんな大層なことでもないか。

あんまり行きたい所がない。家族も彼女も居ないアラフォーの男が一人で行けるような所は喫茶店か打ちっぱなしぐらいしかない。ゴルフが自分を受け入れてくれるなんて、斜に構えていたらわからなかった。

ゴルフの帰りに先輩に「大体、自分の能力も分かっちゃって、できることが限られてることが分かっちゃって、スーパースターになれないと分かったらこれから何をすれば良いんですかね？」と聞いたら、その方「ベストスコアを維持するっていうのも難しくておもしろいんだよ」とおっしゃっていた。

SOBA

アラフォーの独身男であるぼくが、日々の生活の中で人間の温もりを感じてほっこりしてしまう瞬間の話。

最近、よく通っている近所のそば屋。雰囲気が昭和だ。そば屋の店員のお姉さんにぼくは「お兄さん」と呼ばれている。

木札に書かれたメニューがぶら下げられていて、店の中にあるテレビにはよくプロ野球が映ってる。お店のおばさんが仕事をしないでエプロンをしたまま椅子に座り、客と話し込んでいたりする。

そばを食べていると近くの銭湯帰りの別のおばさんが店に入ってきて「これ貰ったから食べて」と言いながらお菓子を渡してそばを食わずにそそくさと帰っていく。

後ろの男性の客がくしゃみをするとおばさんは「彼女がうわさしているんじゃないの？」と言って、男性客は「彼女いないですよー、勘弁してくださいよー」と言う。

身の毛がよだつほどつまらない会話だが、これがいいのだ。

食後には、時間を問わずコーヒーを無料で出してくれて、こないだは冷蔵庫から箱に入ったチョコレートアイスを一本取り出してプレゼントしてくれた。実家にいた頃、こんな箱に入ったアイスを家族で食べていたな。チョコレートは食べられないのだが、我慢して食べた。会計を済ませると「お兄さん、また！」と言われほっこりする。

近くのマッサージ店。いつもぼくの担当をしている中国人のおじさん。カタコトの日本語がかわいい。

「ワカバヤシサン、ヤスマナイト、カラダバクハッスルヨー」

マッサージが終わり、会計を済ませると「ワカバヤシサン、ムリシナイデヨー」。

「ありがとー」

近くのカフェ。店員の男の子も女の子も最先端のファッションで記号的。それはそれでいいし、その記号の送信先にぼくは含まれていないし。「自意識」や「自分語り」を奪われて無表情。おっと、これはおじさんの決めつけ。よくない、よくない。

純喫茶マップという本を買ったので、大人しくおじさんは昭和に行きます。すみませんでした。

魚屋さんと食堂が合体しているお店。たまに海鮮丼としじみ汁を食べに行く。食べていると、お店のおばさんが「私、あの杏ちゃんとやってるＣＭ大好き！」「あんた、がんばってるわよー」「結婚してないのよね？ 良い人いないの？」。

会計を済ませて帰ろうとすると背中をバシッと叩かれて「また来てね！」。

帰り道、ぽろぽろと涙がこぼれてくる。こういうのは、今は情緒不安定と言われてｗが４つぐらいつくのかな。この歳になっても母性に救われているね。感謝です。ぼく自体も見返りを求めない愛を垂れ流す側にとっくにいってないといけない年齢なんだけどな。なかなかどうして。反省です。

ＡＩ、ＳＮＳ、グローバル化で人間の定義が変わる？ どうぞ、どうぞ。あんまりよく分からないから、縄文時代ぐらいから人間にデフォルトで備わっているものを掴んだ方が早そうだなぁ。普遍的なやつ。

本当はもうすでにぼくは掴んでいるんだけど。

ＡＩの開発者が「将来、自分の好きなアイドルのＡＩに看取られることも可能です」と言っていた。それを聞いて意地悪な気持ちになったぼくは「信頼し合っている人間同士の肌と肌が触れ合った時に脳から発せられる物質と同等のものが、ＡＩと知って触れ合った時にも人間から出ますか？」と質問して、開発者の瞳孔を覗き込んだ。

「出ます」と言った開発者の目が一瞬泳いだような気がした。

「やっぱり人間はダイレクトな触れ合いを求めますよね？」とムキになったぼくの「イノベーションもいいけど、ダイレクトな触れ合いを追い越すなよ」と思った話。

オリジナル

あれは16年前、事務所に入って初めてテレビ番組のオーディションに行った時のことだった。

番組スタッフからアンケート用紙が配られた。「趣味」と書かれた欄があり、ぼくはそこに「散歩、読書」と記入した。隣に座る相方をチラリと見ると頭を抱えペンが止まっている。「趣味」の欄に何を書けばいいのか分からないのだという。「オーディションの時間が来るから、適当に埋めろ」と言ったのだが、それでもなかなか書き出さない。すると、相方は驚きの暴挙に出た。隣の先輩芸人が趣味の欄に書いていた「利きキャベツ」というエッジの効いたワードをカンニングすると、自分のアンケート用紙に「利きレタス」と書いたのだ。ぼくは自分の眼を疑った。すぐに消して別のことを書くように言った。個性が大事だと言われるこの世界で、先輩の趣味を真似るなんて何事だ。

事務所に所属する前は、客席からなぜか笑いが起こっていたぼくらだが、事務所に所属するとなぜか笑いが全く取れなくなった。悩んだ挙げ句、その当時やっていた「爆笑オンエアバトル」という番組で好成績を収めていた漫才師のVTRを繰り返し観て、自分たちのネタを作り始めた。すると、ネタ見せで「その手法は○○さんがやってるからね〜」と、そのお手本にしていた先輩漫才師の名を出され放送作家にダメ出しされた。

「オリジナルの漫才を作らなきゃダメだよ」

誰かの漫才に学ばないでオリジナルの漫才を作るってどうやるんだろう？　誰かの真似をする以外の創作の方法を、21歳のぼくは知らなかった。

今まで学校の勉強では先生が黒板で書いたことをノートに写し、先生の教えてくれたことや考え方をテストでそのままなぞっていた（そんなにちゃんと勉強してなかったけど）。そして、部活では上手な先輩の投げ方や蹴り方を真似て練習するように言われた。公式を外側から教えてもらって、それを身につける方法論は知っていた。だけど、公式そのものを自分の内側で作り上げてものを作る方法は誰にも教わったことがなかった。それは相方も同じだったから、隣の先輩の趣味の欄を見て書いてしまったのだろうか。

その後は、闇雲にどこにもなさそうなネタをやってみた。アメフトの防具をつけて舞台上でただただぶつかり合った。風当たりは強かった。先輩や同期に「それはお笑いじゃない」「変わってるネタやってるって言われたいの？」と冷やかされた。そして、そのネタは確かにどこにもなかったけど、同時に客席の笑いもなかった。

誰もやったことがないことをやるのは簡単だ。だって、誰もやったことがないことをやればいいんだから。でも、誰もやったことがなくて、笑いも起こるというネタを作ることはとても難しいことだなと思った。

ぼくは、それを作る手筈を手に入れるために、とりあえず誰もやっていないことをやっていて、笑いも取っている先輩に近付いた。どうやら、誰もやっていないことに到達する前に、「自分の特性」を経由していることに気づいた。相方が「上から目線」であることはどうやら相方の特性だった。そして「ツッコミが冷たい」ことはぼくの特性らしかった。そのネタを引っさげ事務所のネタ見せに臨んだ。

ネタをやっている最中に、後ろで見ている先輩が「絶対伝わらないでしょ」「裏だな(裏笑いのこと)」と揶揄しているのが聞こえた。この国で非実力者が出る杭になろうとすると、風当たりが強いのは幼稚園の時からのお決まりだ(外国のことは知らないけど)。そして、出る杭として成功済みの実力者に対する態度はいつも甘い。その方法論にすぐに倣おうとする(全世界でそうなのかもしれないけど)。そんなビジネス書や自己啓発本が、本屋にはここ数年ずっと平積みになっている。たまたまその人にその方法論が合っていただけかもしれないのに。公式は内側で練り上げるものなのに。

自分の内側に公式を作る方法論をぼくは教育で学ばなかった。たった二人の芸人の先輩と、岡本太郎の書籍から学んだ。

いいね！と草野球

夏休みに一人旅でモンゴルに行って来た。ドキュメンタリーで見た大草原の景色は、首都ウランバートルから車でだいぶ走らないと見られないだろうと予測していたら、車で15分ほど走ったらそこはもう大草原だった。

滞在中のほとんどは馬に乗って大草原を移動し、放牧された馬や羊を追っている遊牧民に会えたらガイドの人を介して話しかけていた。現地の遊牧民のゲルも訪問させていただいたのだが、現代と昔ながらの習慣の混ざり具合に興味を引かれた。ゲルの中では昔ながらの製法でチーズやヨーグルトや馬乳酒が作られていた。それでいて、外にはアンテナとソーラーパネルがあり、そこで得た電力によってゲルの中でテレビが見られたり冷蔵庫が稼働していたりする。

草原で会った馬に乗った遊牧民の方は伝統的な民族衣装を着ていたのだが、帽子はadidasだった。馬上のその姿がもう本当に格好よくて、どうしても写真が撮りたくてお願いしたのだが「羊を撮れ」と断られてしまった。モンゴル人の特に遊牧民は照れ屋が多いらしい。無理強いは控えることにした。

「何かストレスはありますか？」という質問をしたら、ストレスという言葉にピンとこないらしい。なんとか他の言葉で伝えたのだが「あぁ、夜に馬を放牧して柵の中に戻そうと探しに出掛けたら5㎞ぐらい遠くまで行ってて戻すのがめんどくさいとかそういうことか？」と聞かれた。そういうことじゃない気もしたのだが、「なるほど、ありがとう」と笑顔で言った。

遊牧民の方は旅人をもてなす習慣があるらしく、みなさん快く馬乳酒やチーズや揚げパンを差し出してくれた。ぼくはキットカット抹茶味をお返しに渡していた。

現代の遊牧民は一つのゲルに一家族が住み牧畜をしている家族が多かった。だが、昔は数十から数百の単位で集団生活をしていたらしい。その集団を一つに取りまとめたのがチンギス・ハンである。この大草原で集団生活をしている所、他の集団が襲って来て戦いになってたってそれはもうまんま映画『マッドマックス』だ。

集団生活をしていた時代の集落が再現された場所を観に行った。戦士の集落。大工の集落。服を作る人達の集落。占い師の集落。と分かれていて、ぼくは物見櫓の上からそれを見て「なるほど分業化は集団においてやはり高効率なのだな」なんて生意気なことを口走っていた。昔『世界がもし100人の村だったら』なんて本があったが、頭の中で社会を遊牧民の集団生活に例えて回していた。

ゲルから何年も引きこもって出て来ない青年がいたとしたら、それは何かがおかしいよなと思ったり。集団生活の中で仕事を失った人が自ら命を絶ってしまったら、それは何かがおかしいよなとか。儲からない大工さんがいたとしたら、集団の数に対して大工の数が多いか、優秀な大工ばかりに注文が殺到してシェアの割合が低いということだよなとか。こういう時、なぜだかはわからないが強者の側からは考えない。物見櫓から自分が王になったつもりで、ゲルを見下ろす人もいるのだろうか。ともあれ、この集団の中でお笑い芸人をやっているというのは、やはり虚業と言われても仕方がないのではないかと頭を掻いてしまった。

それはともあれ、人間には集団に必要とされているという実感はとても大事なことだと再認識した。近年「いいね！」に代表される承認欲求が注目されることが多いが、所属欲求は承認欲求の無駄な膨張を抑制する効果がありそうだ。また、草野球チームにでも入ろうかな。

話は変わるが、日本に帰って来てから「みなさんがそれぞれのプロで、分業してくれているから安心して住めるんだよな」と思いながら散歩していたら、すれ違う人がみんな味方に見えた。これには心底驚いた。仕事もお金も無い頃、すれ違う人は全員敵に見えていたから。だけど、モンゴルから帰って来て１ヵ月も経てば仕事で表参道なんかを歩いていると、すれ違う人全員に「なんだよこいつら気持ちわりぃな」と思ってしまうのである。

デスマッチ

日曜日に後楽園ホールにプロレスを観に行った。そういえば、最近はよくデスマッチも観に行く。なぜ、デスマッチが好きなのだろうか？　入場曲が会場に鳴り響くと大量の蛍光灯を抱えたレスラーがリングに向かって歩いてくる。リングインした選手はすぐさまトップロープの上に登り対戦相手を睨みつけている。その後ろ姿に、堅気にはまったく見えないマイノリティやアウトロー特有の後ろ暗さのようなものを感じる。

ゴングが鳴った。

蛍光灯がレスラーの頭に振り下ろされて「パン！」という音と共に破片と白煙が舞う。レスラーの額からは鮮血が溢れ出した。会場からは「あ〜」という、歓声とも溜め息ともつかない声が上がった。リング上に画鋲がバラまかれ、羽交い締めにされたレスラーがその上に叩き付けられた。叩き付けられたレスラーが背中を押さえてのたうち回る。男のぼくでも目を覆う。

そして、それを見下ろしているレスラーが手に持っている蛍光灯を自分でバリバリと齧《かじ》り始めた。その一連の動きがピタッと静止すると、次の瞬間レスラーの口がパカッと開いた。客席から見ると、顔の真ん中に赤い穴が空いているようだった。すると、血に混じったガラスの破片が胸を伝ってリング上にポタポタとこぼれ落ちた。そして、ゆっくりとした動きでエプロンサイドに置かれたブロックを2つ持ち上げると、リング上に倒れているレスラーのお腹の上にそれを丁寧に重ねた。

トップロープに登ると両手を水平に広げて、体が一瞬沈み込んだと思った瞬間リング中央に向かってレスラーはジャンプした。空中で膝を折ると、その膝はそのままブロックの真ん中に命中した。ブロックは2つに割れて、食らったレスラーも食らわしたレスラーもリング上をのたうち回った。

色々な職業があるが、デスマッチレスラーになる人だけは理解できない。そして、なぜ理解できない人達を何度も観に来てしまうのだろうか。会場の外でやったら逮捕されることが、リング上で行われている。まともじゃない人をまともじゃない人達が観に来ていて、なぜかそれが許されている。コンプライアンスも、常識も、正論も、不倫も、デスマッチの試合中のリング上では無化されている。変態であることが許される。そんな空間が好きなのかもしれない。

金曜日、再び後楽園ホールへ。「山里亮太の140」というイベントを観に行く。後楽園ホールのリング上で山里さんがたった一人で2時間超喋り続けるお笑いライブだ。山里さんとは、かつて「たりないふたり」というユニットを組んでテレビのレギュラー番組や漫才ライブを一緒にやった仲だ。ライブが始まり、入場してきた時の山里さんのオーラはたりないふたりをやっていた時から更に増幅されていた。信頼できる大人の芸人が入場してきたんだな。という感覚にワクワクした。

彼はテレビでは話せない内容のトークを、確かな話術とずば抜けた語彙力でリング上から披露し続けた。その姿は「こんなにもリングの上が似合う芸人はいないだろうな」と惚れ惚れするほどだった。なぜ、リングの上が似合うのか？　それは山里さんがちゃんとかっこ悪いからだ。才能と実力をただ舞台上で垂れ流して帰っていくなら感心こそあれど、ここまでの高揚感は得られないだろう。

でも彼は、才能と技術とサービス精神の他に自分の妬《ねた》み嫉《そね》み恨み辛みのようなネガティブな感情も正直に吐露していた。リング上で自分の内面を正直に曝《さら》け出してのたうち回っているから、リングの上が似合うんだろうなと一人勝手に納得していた。帰り道、自分にはそれができるだろうかとずいぶん煩悶させられた。

舞台上でここまで正直でいないと気が済まない人は変態だし、こちらのデスマッチもなかなかに激しかった。

耳に痛い話

「しくじり先生」という番組のレギュラー放送が終わった。

深夜時代も含めれば丸3年間の放送期間で、約120人にのぼるしくじり先生の授業を受けた。授業中に人生経験の未熟な自分が、一番前の席からいけしゃあしゃあとツッコむことには正直後ろめたさもあった。もし、ご気分を悪くされた先生がいたらこの場を借りて頭を下げたいです。

しくじり先生の貴重な授業の数々で自分の心に一番残ったこと。それは「自分の弱さと向き合うことが一番難しい」ということである。特定の信仰を持つ人が少ないこの国では、自分の弱さを神の視点を通さずに自らの力でじっと見つめるのは難しいのではと感じた。人は、それまでの栄光や幸運、高い地位や環境から突き落とされた後、自分自身の欠点や短所と向き合わざるをえなくなる。なぜ、向き合わなければいけないかというと「そうしなければ生存していくことが危ぶまれる」からだ。シンプルに言うと「生活ができなくなる」からだ。弱さと向き合うというとてもタフな行為を、カメラの前で勇気を持って曝け出してくださったしくじり先生方にはどの角度からも頭が上がらない。人は自分の欠点と向き合うことからはよく逃げるが、他人の欠点はいとも簡単に指摘する。居酒屋で、ネット上で、昼間のカフェで。他人の欠点をあげつらって安心する。集まって誰かの悪口を言うことには、自分が「それに比べて優れている」ことをバーチャルに確認するというお下品な効能もある（猿の集団でいうと毛繕いのような仲間意識の確認の作用もあるらしい）。

ぼくだって酒を飲めば誰かの悪口を言う時がある。「他人の悪口は言ってはいけない」なんて絵空事を言うつもりはない。自分の弱さと向き合わないことも生きるための知恵だ（死なないための知恵ともいえる）。だから、自分の弱さと向き合わないためや向き合う衝撃を緩和するために人間はさまざまな行為を用意する。

しくじり先生の授業で、自分の弱さから目を逸《そ》らす行為はいくつも見聞きした。新興宗教、酒、女、ギャンブル、占い、ブランド物で身を固める、後輩に説教、相方のせいにする、新しめの所でいうとInstagramにイケてる画像をアップしていいね！をもらう。右記の行為は、バランスさえ良ければ人生の質を向上させる効果があるものももちろんある（無いものもある）。しかし、バランスを欠けば自らを追い込むことにもなる。

では「お前は己の欠点を直視しているのか？」と問われたら「はい」と即答する自信は無い。きっと「何かが起こらないと目の前に現れないのが真の〝しくじり〟だから」である。では、3年間の授業で〝しくじり〟を回避する一番の方法は何だと思ったかというと、それは〝耳が痛いことを言ってくれる信頼できる人を持つこと〟である。「自分では自分のしくじりの種には気づけない」というのが、約120回の授業を受けたぼくの結論であった。

それは真実として今も胸の真ん中に居座っている。それでも、自分の弱さを直視することから逃げるために人はそういった苦言を呈してくれる信頼できる人を自ら遠ざけるということも、よくする。ぼくには〝耳が痛いことを言ってくれる信頼できる人〟が思い当たる所で二人いる。ディレクターの方と同期の芸人だ。その二人にこないだ「今のぼくに〝こうした方が良いよ〟って言いにくいけど言いたいことってあります？」と聞いてみた。

すると、口裏を合わせたかのようにどちらも「若林は結婚した方がいいね」と言った。なぜなのか理由を聞くと「一人で自分の内面ばかり見ていないで」とか「責任」とかそんな強烈なワードが速射砲のように鼓膜を襲ってきた。ぼくはその場から逃げるように、店員に会計を促したのである。

逃げる正論

正論と断言が流行っている。

テレビのワイドショーを見ていて、正論大喜利とでもいうような雰囲気を感じることが多々ある。最近ではバラエティのトーク番組でもそういう風潮が見られることが増えた。多様化の浸透の副作用なのか、正論を求める人が増えた気がする。格差社会由来の不満の増大が邪論や暴論を楽しむ余裕を奪っているのか。SNS（いいね！）の隆盛か。反動か。理由はよく分からない。長くなりそうなので、今回は「断言」は放っておく。

「自分に正論を言う腕がない」と言ってしまえば終いなのだが、正論を言うのがどうも苦手である。例えば「不倫はいけないこと」までは分かる。しかし、自分が特にカメラの前で「不倫はよろしくない！」なんて言うところを想像すると途端に恥ずかしくなってしまう。ものにもよる。凶悪事件などは被害者の立場になって考えると、腸が煮えくり返ってどんな事情があろうと許せないという気持ちになる。なので、法律で罰せられないような個人のモラルの範疇での正論を言うのが苦手ということになる。学校では鼻つまみ者で、まともな職に就けないからお笑い芸人になったようなものだという負い目がある。どんな話題であれ、偉そうにコメントした後に「そういうあなたはどうなの？」と問われたら胸を張っていられる自信がない。

よく「お笑いは常識を知っていてこそ非常識なことができる」という理屈を聞くことがあるが、その「常識らしきもの」をテレビで耳にする時に驚くことがある。コメンテーターが発した言葉がその場で多くの共感を得ているのを目撃した時に「え、そっち⁉」とびっくりすることが多々あるのだ。そんな瞬間は、自分が常識だと思っていることも世間が常識だと思っていることもどちらも信じられなくなる。その自分がテレビの正論大喜利で良い回答をできる筈がない。

なんでこんなことをつらつらと書いているかというと、「アメトーーク！」と「踊る！さんま御殿‼」が大好きだということを書きたいからなのである。「アメトーーク！」や「踊る！さんま御殿‼」はマイノリティの意見であっても、たとえそれが暴論や極論であっても受け入れられる雰囲気がある。多様性が尊重されている（笑ってもらえると言った方が良いのかな）。今の事務所に入った時から先輩には「人見知りなんてお笑いの世界で通用しないぞ」と言われ続けてきた。しかし、「アメトーーク！」は「人見知り」を正論で断罪しなかった。MCのお二人の腕があってのことだけどあの場では受け入れてもらえた。帰り道、ぼくは〝マトモな人達〟の仲間に入れてもらえたような温かい気持ちになれた。ぼくは、数ヵ月に一度「アメトーーク！」や「踊る！さんま御殿‼」に出るチャンスがあると心が救われる。不寛容で自己責任が求められる時代の中で、ダメだったりバカだったりすることが少なくとも排除されない温もりを感じるからだ。邪論や極論が笑ってもらえるかどうかは、その番組の制作陣や司会者の受け取り方で変わってくる（あと時代）。もし、現場の空気やその場で主導権を握っている者が正論を求めていたら邪論や極論は普通に負ける。こないだワイドショーで「笑い逃げ」という言葉を初めて聞いた時、ぼくは愕然とした。もう、邪論や極論を笑って楽しんでいられる時代じゃないのかもしれないと、心底ショックを受けた。

今や、深夜ラジオという邪論と極論すなわちナナメの遊び場（ぼくにとって）でさえ正論が求められているような気配をひしひしと感じる。正直に言うと、これ以上正論が強くなることがぼくは怖い。同調圧力や全体主義、そして排除の気配を感じてしまう。でも、それらは今後さらに強まると思う。

正論は多分正しい。でも、おもしろくはない。「共感できないけど一理あるかも」って脳がパッカーンってなるあの瞬間が好きなのにな。

言葉の熱湯

日本語ラップを聴き始めたのは、高校の時だった。中庭の朝礼台に溜まっていた先輩が「1．2 1．2 COUNT2de 貫通 脳内出血 確実」と口ずさんでいるのを耳にした。「今の誰の曲ですか?」勇気を出して聞いた。「え? BUDDHA BRANDだよ」

その後、吉祥寺のディスクユニオンでBUDDHA BRANDのCDをようやく見つけた。趣味や興味の幅の狭い僕だが、それから今日まで日本語ラップを聴き続けている。特に、仕事も金もない20代に何度も腐った心に再び命を吹き込んでくれたものだから、感謝を通り越して拝みたい曲が何曲もある。曲名を全てあげたいぐらいだけど、それだけで今回の連載は終わってしまうのでまたの機会に。

フリースタイルももちろん好きだけど、好きなのは断然音源。ネットが普及してリリースのスパンが短くなったとはいえ、音源には「やっぱり言いたいこと」が詰まっている気がして好きなのだ。ぼくの日本語ラップ好きを知ってくれていたスタッフさんに「ラップスタア誕生！」という番組のMCのオファーをいただいた。その番組の決勝戦、228名の頂点が決まる収録が都内のクラブで行われた。数ヵ月にわたる予選ではVTRで選考が行われていたのだが、決勝はライブ形式。タトゥーだらけの子。少年院に入っていた子。アイドルの息子。30代に突入している人。いろんな人がいた。

袖で自分の出番を待つ未来のラップスターが、ボクサーのようにステップを踏んで自分の頬をビンタしていた。それを見て、今年の夏に行ったモンゴル旅行のワンシーンを思い出していた。博物館のモンゴル帝国の兵士の槍を見ていた時に、ガイドさんが解説してくれた。村の祭り事などで使われる槍の先は三叉《みつまた》になっている。それは、過去・現在・未来を表している。だけど、戦闘で実際に使われる時の槍の先端は一つ、それは〝現在〟しか表していない。ライブで嘘がつけないのは、ラップも漫才も一緒だった。どの人も、覚醒して欲しいけどライブは時に無情だった。人間力、経験、熱量、技術、姿勢、純度、繊細さ、大胆さ、その他諸々。何かがほんの少し足りなかったりするだけで「ほんの少し足りない」ということをライブは本人と現場にただ知らしめていた。そして、そういう言語化できるような外野の感想を、それこそマイク一本で超越して黙らせてしまった人たちの中から優勝者が決まった。ぼくらは思わず抱き合っていた。そして、優勝者以外の者の表情は複雑だった。その表情は美しかったのだが、実際に「美しい」と言ってはいけない気がした。

ぼくの趣味は日本語ラップ、プロレス、純文学と時に「中学生かよ」と揶揄されることもある。だけど、その時気づいた。普通に熱いものが好きなんだな、と。そういうものが、移動中の車内で、帰宅後のリビングで、休憩中の喫茶店で、腐りがちなぼくの心に何度も何度も命を吹き込んでくれた。冷笑が強い時代だし（それはどの時代もそうかもしれないけど）、熱さは冷笑主義者の標的になりやすい。そして、自分だってそういった側面を持っている。冷笑主義者が、なぜ冷笑し続けるかというと自分が冷笑されることに怯えているからだ。冷笑は竜宮城だ。温度の高いものに、外野から冷や水をかけ続けて自分では何もしない。そして、ふと気づいた時には白髪だらけが成れの果てだ。近頃、気づかないうちに出る杭になる時に必ずかけられる冷や水に怯えていたのかもしれない。

そんなぼくに頭から熱湯をぶちまけてくれた、未来のラップスター達に心からお礼を言いたい。

花火

年末年始はアイスランドに行って来た。「お正月はどこ行くの？」と、聞かれて「アイスランドです」と答えると「オーロラ？」とよく聞かれていたのだが、それは半分当たっていて半分外れていた。オーロラよりも見たかったのが、アイスランドの首都レイキャヴィークの大晦日《おおみそか》のカウントダウン花火だ。何で知ったか忘れたが、アイスランドは年末のカウントダウンに日本では到底許されない規模の花火を一般市民が街中で打ち上げまくるのだ。ぼくのストレス解消法の一つに1万円分ぐらいの花火を買い占めて、湘南の海で打ち上げまくるという行動がある。そんなぼくなので、アイスランドの花火イベントを知った時にどうしてもこの目で見たくなった。

アイスランドに着き、大晦日のカウントダウン花火を心待ちにしていた。年明けの時間が近づき、打ち上げ花火を見に行くツアーに参加するためにロビーに集合しバスに乗り込んだ。ガイドは「アイスランド人は構わず花火を上げるので、自分の身の安全は自分で確保してください」とツアー客に忠告していた。街の高台にバスは停まり、そこからは時間まで自由行動となった。バスを降りて街を眺めると、すでにとても民間人が打ち上げているとは思えない大きさの花火が360度街の至る所で炸裂していた。嘘みたいだった。戦争映画のような爆発音が休みなく鼓膜を圧迫し続ける。ぼくは口を開けて呆然としていた。

「こんなことが許される国があるんだ」

こんなにクレイジーでもいいんだ。家の庭から、路上から、シュン、シュン！という音と共に花火が打ち上げられて夜空で爆発しまくっていた。辺りには煙と火薬の匂いが充満している。ぼくは興奮してカメラのシャッターを切りまくっていた。もうちょっと花火を近くで撮りたいと、ツアー客の集まりから離れて丘を下って行くと、丘の下から打ち上げられた花火玉がゆらゆらと上がってきた。それが目の前で静止すると、次の瞬間凄まじい音と共に破裂した。視界が光で真っ白になった直後、光った球がテニスのサービスエースのように足元に何発も飛んで来た。僕は尻餅をついたけど、すぐに立ち上がり丘の上に向かってダッシュした。体には直接当たらなかったようだ。よかった。「自分の身の安全は自分で確保してください」なんて、日本ではクレーム対策の言葉でしかない。でも、マジで身の安全は自分で確保しなきゃと思った。丘の上に再び戻ると、僕は口に溜まった爆笑を必死に手で抑えていた。じゃないと、大声で笑ってしまいそうだったから。「大丈夫でした？　死にかけてませんでした？」

ツアー客の一人が話しかけてくれた。

「大丈夫です！　あ、あけましておめでとうございます！」

この花火、ボランティアの消防団のようなチームが販売していて割高らしいのだが、国民はそれが年間のボランティアの消防団のレスキュー費用などに充てられるのを知っているからみんなたくさん買うらしい。そして、この日も花火によるアクシデントでボランティアの消防団により救急搬送される人もいるだろうという話であった。次の日はゲイシールの間欠泉を見に行った。地熱で温められた地下水が30メートルも噴き上げて来るようだ。いつ来るかは、わからない。ガイドは「風下だと熱湯がかかる恐れがあるので、必ず自分で風上を見つけて身の安全を確保してください」と言っていた。大地にポッカリと口を開けたような間欠泉の水面は、大きな怪物が呼吸しているような音を上げながら沈んだり浮き上がったりしている。

「地球も生き物なんだ」

「内部には熱があって、常に動いているんだ」

すると、突如水面がドーム状に膨れ上がりそのてっぺんを水柱が突き破ると、轟音と共に白い先端が天を突き刺した。見物客の歓声の中、水柱は白いキノコ雲に姿を変え、やがて白い蒸気となって空に消えた。似ているなぁ、ぼくの好きな小説とかプロレスとかラップとか漫才に。熱くて、危なくて、一瞬で。ワクワクするためには、安全過ぎないこといつ来るか分からないことを引き受けなければならないのか。それなら、旅に出なくてもこの街でできるな。

凍える手

仕事終わりに「ちょっと話いいですか?」とマネージャーから言われた時は嫌な予感がする。それは、大抵何らかのレギュラー番組の終了が告げられる時だからだ。その言葉を今回も聞いて「そうか、何かの番組が終わるのだな」と覚悟を決める。しかし、今回はテレビのレギュラー番組の終了の話ではなかった。編集部からの連絡で、4月からのリニューアルに伴いこの連載が今回で終了するという話だった。

この連載が始まったのが2010年7月。毎月楽しみにしてくれた方がいたら、本当に本当に感謝の気持ちでいっぱいです。普段仕事をしていて目や耳に入る反応。キューバに行けば「中二病再発ですか?」。司会の番組が始まれば「お笑い風をやっている若林さんではなく、芸人の若林さんが見たいです」。言い返したいことは山ほどある。だけど、感謝こそあれ今の環境に一片の不満も持つことが許されないというようなプレッシャーを自分で勝手に作り出している。そのプレッシャーの隙間から染み出してくる歪んだ感情。

「一体俺はどこの誰に向けてこの仕事をしているのだろうか」

そんな不安に駆られた時、ラジオ終わりのニッポン放送の裏口で寒さで凍える手でこの連載をまとめた著書やキューバの本を持って「サインしてください」と言ってくれた出待ちの男の子。今日は言わせて、「君のためにこの仕事をやっている」と。

この連載を半年休載していた期間がある。理由は、見事にこの世界への憤りや劣等感が書けなくなってしまったからだ。お笑いにもポピュリズムのようなものがあって、ちょっと前だったら「ハロウィン」、今だったら「インスタ映え」なんかを冷笑・揶揄すれば笑いが起こりやすいという面もある。でも、休載前ぐらいから「出待ちでぼくの著書を手に待ってくれているような人たちのためにも冷笑の笑いは違うのではないか」と思い始めた。それからは、ゴルフを始めたりキューバやモンゴルやアイスランドに一人旅に行き始めた。新しい趣味のプロレス観戦には、それこそ冷笑の対極にある熱さを教えてもらった。

8年前、このダ・ヴィンチの連載の第一回に「好きなことを仕事にしたから、趣味なんていらない。」というようなことを書いた。

だけど、今は違う。

〝絶望に対するセイフティネットとして、趣味は必要である〟そう確信している。そして、親父が死んでからは本格的に冷笑・揶揄は卒業しなければならないと思い始めた。死の間際、病室で親父が「ありがとな」と言いながら痩せこけた手で母親と握手している姿を見たからだ。その時にやっと、人間は内ではなく外に向かって生きた方が良いということを全身で理解できた。教訓めいたことでもなくて、内（自意識）ではなく外に大事なものを作った方が人生はイージーだということだ。外の世界には仕事や趣味、そして人間がいる。内（自意識）を守るために、誰かが楽しんでいる姿や挑戦している姿を冷笑していたらあっという間に時間は過ぎる。だから、ぼくの10代と20代はそのほとんどが後悔で埋め尽くされている。

そんな陰鬱な青年期を過ごしてきたから、おじさんになった今こそ世界を肯定する姿を晒さないとダメだと思った。慣れてないからただただしいし、背伸びしている姿は滑稽に映るだろうけど。さっきからずっと良い格好をしようとしているけど「出待ちの男の子に向けて」なんて聞こえの良い話ではなく、自己否定の世界を生きていた「10代20代の自分のため」なのかもしれない（ここへ来てまた自意識）。

「バイト代を貯めてキューバに行くことにしたんですよ！」と言いながら出待ちの大学生の男の子が本とペンを差し出した。たまに誰に向けて仕事をしているのか見失う時があるから、そういう言葉をかけてもらえると嬉しくてすぐ泣きそうになっちゃう。ぼくはそれがバレないように俯いてサインをした。そういう人とぼくを繋げる架け橋になってくれたのが、この連載だった。本当にやって良かった。お世話になったスタッフさんにも心から感謝です。

そして読んでくれた皆さん、8年間本当に本当にありがとう。またどこかでお会いしましょう。

第二章

ナナメの殺し方

前作のエッセイで、スターバックスで注文の時に、「グランデ」と言えないと書いた。何か自分が気取っているような気がして、恥ずかしかったのである。「L」は言えるのだが「グランデ」は言えない。

自意識過剰である。

自意識過剰なことに対して、「誰も見てないよ」と言う人がいるがそんなことは百も承知だ。

誰も見ていないのは知っているけど、自分が見ているのだ、と書いた。

〝自分が見ている〟というのはどういうことかと言うと、「グランデとか言って気取っている自分が嫌だ」ということだ。

こういう気持ちはどこから来るかというと、まず自分が他人に「スターバックスでグランデとか言っちゃって気取ってんじゃねぇよ」と心の内で散々バカにしてきたことが原因なのである。

他者に向かって剝いた牙が、ブーメランのように弧を描いて自分に突き刺さっている状態なのである。

昔から言っているのだが、他人の目を気にする人は〝おとなしくて奥手な人〟などでは絶対にない。

心の中で他人をバカにしまくっている、正真正銘のクソ野郎なのである。

その筆頭が、何を隠そう私である。

いつからブーメランを投げ始めたのだろうか。

高校の文化祭のステージ上で、おちゃらけるクラスの人気者をベランダからナナメに見ていた。

内輪ウケで満足している、レベルの低い奴らだと。

ステージ上で爆笑をかっさらうクラスの人気者を「みっともない」と価値下げして、臆病でステージ上に立てない自分を肯定しようと画策したのである。

そういう思考は確かに自己防衛になるかもしれないが、同時に自分が文化祭のステージに立つ機会も奪ってしまう。

価値下げによる自己肯定は楽だから癖になる。

ハロウィンの仮装、バーベキュー、海外旅行など、それらをSNSでコソコソと価値下げ攻撃していれば、反撃を食らうこともないし自分がそういうムーヴメントに流されない高尚な人間のような気分も味わえる。

ぼくの場合、高校を卒業してから物事に対する価値下げは加速していった。

大学でサークルに入ること。

学園祭に本気で取り組むこと。

海外に一人旅に出ること。

告白すること。

何でも〝みっともない〟と片付けて、自分は参加しなかった。

そうやって他人がはしゃいでいる姿をバカにしていると、自分が我を忘れてはしゃぐことも恥ずかしくてできなくなってしまう。

それが〝スタバでグランデと言えない〟原因である。

誰かに〝みっともない〟と思われることが、怖くて仕方がないのである。

そうなると、自分が好きなことも、他人の目が気になっておもいっきり楽しむことができなくなってしまう。

それが行き着く先は「あれ？　生きてて全然楽しくない」である。

他人への否定的な視線は、時間差で必ず自分に返ってきて、人生の楽しみを奪う。

何をやっていても、〝他人の目からはどう見えているのだろう？〟と気になって夢中になれない。

そういった〝生きてて全然楽しくない地獄〟にハマってしまうと、人間はどうなってしまうのだろうか。

まず、朝起きるのが辛くなる。

遊んでいても、仕事をしていても、他人のジャッジの視線が気になって、生きていること自体があまり楽しくなくなる。

朝起きた時に「また今日も他人にジャッジされる一日が始まる」と思ってしまうからだ（ひどい場合は「また今日も他人に否定されるだけの一日が始まる」と思ってしまう。20代の僕はそうだった）。

そうなってしまうと、なんとか自分を肯定しようとして、他人や物事に対しての価値下げをさらに加速させてしまう。

地獄のスパイラルに突入だ。

そうなると、〝楽しいことが何もない世界〟を彷徨《さまよ》うゾンビとなって、深夜の暗い道を一人呻《うめ》きながら徘徊することになる。

そういうゾンビは、噛み付いて〝生きてても楽しくない〟を感染させようとする。人前で愚痴や弱音を口にして、〝生きてても楽しくない〟に他人を巻き込もうとするのである。

当然、健全な人はゾンビを避けるようになる。

では、〝生きてて全然楽しくない地獄〟からはどう脱すればいいのか。

文化祭のステージではしゃぐクラスメイトを肯定することであろうか？

それができれば問題はない。

だが、腐れ価値下げ野郎に、他人の肯定などという気高い行為は、到底できない芸当なのである。

腐れ価値下げ野郎が、まず最初にやるべきことは〝ペンとノート〟を買うことだ。

そして、そのノートの表紙に太めのマジックで〝肯定ノート〟と書くのである。

恥ずかしがらずに、堂々と書くのだ。

30を過ぎたいい大人のぼくだって、実際にそれをやったのだ。

何でもいいから、自分がやっていて楽しいことを徹底的に書き込んでいった。

なぜ、そんなことを始めたかというと〝自意識過剰のせいで、自分が本当に楽しいと思うことに気づいていない〟という予感がしたからである。

日々、どんなに小さいことでも気づいたら書き込んだ。

・散歩
・アメフトを観る

最初はそれぐらいしかなかったことが、日に日に増えていった。

花火が好きなことに気づいた時は、自分でも意外だった。

1万円分の打ち上げ花火を、ドン・キホーテで買い占めて夜の海で打ち上げまくった。

自分に、こんなに楽しいと思うパワーがまだ残っていたことに驚いた記憶がある。

そうすると、世間の流行などに流されているわけではない、自分が我を忘れて楽しめることが少しずつ増えていった。

先輩や後輩と飲むと気を遣ってしまって疲れるけど、同期とお酒を飲むのは楽しいことも発見した。

動物は苦手だが、馬だけは平気なことにも気づいた。

馬の体に、自分の体を預けているとものすごく安心するのだ。

ノートに書き足した。
・馬に乗るのが好き
自分でも意外だった。


自分の好きなことが分かると、他人の好きなこと（趣味）も尊重できるようになる。

今までだったら、「そんなベタな趣味恥ずかしい」とスカしていたのが、どういったところが魅力なのか真剣に耳を傾けるようになった。

プロレスが大好きな人の話を聞いて、ぼくは35歳にして初めてプロレスを観に行った。

そこで、プロレスの魅力にやられて激ハマりしたのである。

もちろん、新たな趣味に冷や水を浴びせてくる古参のファンや腐れ価値下げ野郎は現れた。

「にわかだろ？」

「ビジネスに繋げたいだけだろ？」

「今更、明るく変わろうとしてるの？」

だけど、本当に自分が好きになって熱くなれたら、その程度の冷や水はすぐに蒸発させることができてしまう。

〝好きなことがある〟ということは、それだけで朝起きる理由になる。

〝好き〟という感情は〝肯定〟だ。

つまり、好きなことがあるということは〝世界を肯定している〟ことになる。

そして、それは〝世界が好き〟ということにもなるという三段論法が成立する。

だから逆に、なんでも否定ばかりしている人は〝世界を否定〟していることになるから、生きているのが辛いのだ。

それは、〝世界が嫌い〟ということになるから。

ぼくは今回の生で、自分がポジティブになれるなんてミラクルはもう無いと諦めている。

ポジティブに憧れて、でも変われないという挫折を経験しすぎて飽きてしまった。

前に、なんかで読んだ、ネガティブな人間がいる理由の諸説あるうちの一つがずっと心に残っている。

人間が狩猟生活をしていた時代に、今いる場所から移動して新たな食料を得ようとするのがポジティブな人間なら、移動先には予想できない危険があるかもしれないから、移動しない方が良いと主張するのがネガティブな人間だと書いてあった。

両者いることにより、より深い議論と結論がその集団に生まれるというのである。

つまり、移動して繁栄して生きるか。

移動しないで生き長らえるか。

または、移動して危険な目に遭って死ぬか。

移動しないで飢え死にするか。

ということなのだろう。

もし、その説が正しかったとして、遺伝子によってネガティブを担当させられた自分が、ポジティブに転換できるほど遺伝子は甘くないのではないかと思ってしまった。

そんな自分が、唯一ネガティブな時間から逃れられる人生の隠しコマンド、それが〝没頭〟である。

ぼくのようなネイティブ・ネガティブが人生を生き抜くには、没頭できる仕事や趣味は命綱と同等の価値がある。

先ほど紹介した〝肯定ノート〟に日々書き連ねていくことで、自分がハマれることに敏感になっていった。

それで、ゴルフを始めたり、キューバに行ってみたいと思う自分の心にも気づくことができた。

今までの自分だったら「急にゴルフなんて始めたら、馬鹿にされる」と気にしてやってなかったと思う。

で、実際に価値下げ野郎共の冷や水も随分浴びた。

「ゴルフなんて始めて、普通のおじさんに成り下がりやがって」

「キューバなんて行って、いい歳こいて中二病かよ」

でも、ぼくがそれを気に留めなかったのは、価値下げ野郎共が何に怯えているかよく知っているからである。

自分が好きなことが見つかったら、次はノートに他人を肯定する文言を書き込んだ。

最初は、ペンがなかなか進まなかった。

他人を肯定すると、自分を否定することになりそうだったから。

それぐらい腐れ価値下げ野郎であったぼくは、プライドが高かったのである。

そんなぼくでもペンが走りまくったのは、自分が大好きなプロレスラーや小説家やラッパーを肯定する文言だった。

尊敬する人のことなら、どんどん書けた。

書いていくことで、自分がどういう人間が好きなのかもよくわかった。

それに慣れてからは、普段接する人たちの優れている部分も思いつく限り書きまくった。

どうしても腹が立つ奴のことも、歯を食いしばって肯定した。

漫画『巨人の星』の大リーグボール養成ギプスならぬ、他者肯定養成ギプスを装着しているような気持ちでペンを動かした。

30代半ばの人間が、こんなことをしているのが恥ずかしいのは百も承知だった。

だけど、どうしても今回の生で世界を肯定してみたかった。

他者への肯定がスラスラ出てくるようになると、不思議なことに誰かを否定的に見てしまう癖が徐々に矯正されていった。

そうなると、自分の行動や発言を否定的に見てくる人が、自分が思っているほどこの世界にはいないような気がしてきた。

「だから物事に肯定的な人は、他人の目を気にせず潑剌と生きているように見えるのか」

　ぼくが子供の頃から、喉から手が出るほど欲しかった〝根拠のない自信〟とは、〝おそらく自分は他人から肯定的に見られているだろう〟というイメージのことだったのである。

　世界の見え方は、どんな偉人であれ、悪人であれ、思い込みに他ならない。

　肝心なのは、〝どう思い込むか〟である。


　自分の生き辛さの原因のほとんどが、他人の否定的な視線への恐怖だった。

　その視線を殺すには、まず自分が〝他人への否定的な視線〟をやめるしかない。

　グランデと言う人を否定するのをやめれば、自分がグランデと言っても否定してくる人がこの世界からいなくなる。

　否定してくる人がいない世界なら、朝気持ちよく起きることも全然可能なのだ。

　最近、あまりにも日本語ラップが好きすぎて、自分の好きな曲だらけのミックステープが作りたくなった。

　このあいだ、ついにぼくはＤＪ機器を買った。

　それを否定する人はこの世界に誰もいなかった。

AI VS オードリー

このあいだ、特番の収録でAIの開発者の方とお話しさせていただいた。

「AIはM-1で優勝できる漫才を作れるのか」というテーマで話をしていた時に、開発者の方は可能だと言い切っていた。

今まで爆笑を取ってきた漫才のデータをとにかくAIに取り込めば、「どういうテーマだと人が笑うのか」「最適な間とはどういうタイミングなのか」というものも可視化できるというのだ。

それを聞いて、現役の漫才師としてはムキになってしまった。

「データを取り込むということは、テーマ・設定は過去のデータに学ぶということだから新しい設定は生まれないのではないか?」

そう聞いてみた。

「それは、データの取り込み方によってはできますね」

簡単に言い返されてしまった。

「でも、笑いって〝何を言うか〟より〝誰が何を言うか〟だから、その人のキャラクター、年齢、顔、体形、声、送ってきた人生、そういった諸々の要素によって最適な言葉や間は変わってくるのでは？」

こうなってくると、もう負けるわけにはいかない。

「それも、データの取り込み方によってはできますね」

〝データの取り込み方〟というワードが強すぎる。

「だけど、お笑いって劇場の広さやその日の天候、時間帯によってお客さんのテンションが違うから最適な間は変わってきますよね？」

「お客さんの脳波や瞳孔の開き具合をAIが検知することによって、最適な間は算出できます」

「うーん、じゃあ、それ早く作ってください！」

ぼくは反論を忘れて、〝漫才が作れるAI〟の完成を待望してしまった。

「知り合いを紹介するのでデータの取り込み方のアイデアを一緒に話しませんか？」

収録が終わってから、AIの開発者の人にお誘いを受けた。

なんか悔しかったけど、もしかしたら漫才のネタが忙しいスケジュールの中でも量産できるようになるかもしれないという下心が顔を出した。

帰りの新幹線で、自分だったらどういう風にデータを取り込むか思案していた。

最適なワードやタイミングには、〝この間《ま》だと笑いが起こった〟というデータと〝この間だと笑いが起こらなかった〟というデータの両方が必要だろうなと思った。

早すぎてウケないという間と、遅すぎてウケないという間のあいだが最適な間となるのだろう。と、考えていた。

それも、その日の空気によって変わるんだろうな。と、思ったところで「はっ！」とした。

「いや、それ芸人みんなやってるわ！」

わざわざＡＩに頼まなくても、脳みそで全部やっていることだった。

そう考えると、〝勘〟といわれるものは今までウケたことと、ウケなかったことのデータの総量の瞬間的な結論なんだということに気づいた。

だから「これは大丈夫そうだな」と思ったり、「これは危なそうだな」と発言する前に感じたりするのだろう。

そして、脳の中のデータにウケたことが色濃く残っている人はアグレッシブだし、スべったことが色濃く残っている人は臆病になるのだろう。

当然、ぼくは後者だ。

どちらにせよ、データの総量は多い方が良いから「スべり続けていた20代の10年間はあれはあれで意味のあるものだったんだな」と、なんだか感傷的な気持ちになって猛スピードで過ぎていく新幹線の窓の外の夜の闇に見入ってしまった。

だから、打席に立たないとダメだし挑戦しないとデータが集まらないのだろうな。

ぼくは、世の中の成功者が書く啓発本の「挑戦しなさい！」という言葉は強者の論理感が強くて嫌いだ。

でも、精神論ではなくてデータの総量の増大という意味での挑戦の大切さのことなら納得できる。

それには〝今〟をデータの総量のお披露目の時期と認識するか、データの採集の時期と認識するかで心持ちもだいぶ変わってくるだろう。

これからはスべったら「データの総量の増大に繋がったな」と自分に言い聞かせて乗り越えることにする（仕事の総量は減るかもしれないけど）。

先ほどの収録の話の続きだが、開発者が「すでにＡＩ同士の会話が面白い、というムーブメントも起きてるんですよ」と言った。

ぼくは、またムキになった。

「それは、人工知能の躍進という、人類がまだ見たことがない新たな刺激が面白さの中にだいぶ含まれている。それが当たり前になってみんなが飽きたら、やっぱり人間の方が需要は高いと思う」

「いえ、ＡＩは人間の脳波や瞳孔の大きさを検知して飽きを予測することができるから、そのタイミングで飽きを回避する変則的な発言もできます」

「いや、それでもいつか死ぬ存在の人間が発する言葉の切実さにＡＩは勝てないと思います」

すると、開発者は目を見開いて言った。

「若林さん、まさに今ＡＩの開発者がぶつかっている壁が〝人間のエモーション〟の部分なんですよ！」

人間のエモーションのようなものを可視化して、どうＡＩに取り込むかが課題らしい。

エモーションに満ち溢れたＡＩが登場したら、ちょっと怖い気もするけど。

そういえば、人間のエモーションの正体ってなんなんだろう。

漫才コンビにもいる。確かに客にウケてるしネタもちゃんとしているんだけど、エモーションを感じない人たち。

そんなことを考えていた時に、「そういえば！」と思った。

AIがデータを取る時に、そもそも「ウケた」と判断する基準ってなんなんだろう？

笑い声のデシベル数？　人間の脳波の興奮具合？　瞳孔の開き具合？

しかも、それって個人差あるけど平均値で出すの？

そんなことをぐるぐる考えていたら、昔のことを思い出した。

M-1の決勝に行く少し前の時期、もう全然ウケなくてやってられなくなったから最後に自分の好きなことをやって辞めよう！　と決心していた。

つまり、客の笑い声のデシベル数も脳波の興奮も瞳孔の開き具合も求めていなかった。

自分と相方の瞳孔の開き具合だけを求めていたのである。

それは、〝どうしてもやりたい漫才〟である。

自分で言うのはとても恥ずかしいが、それってきっとエモーションに満ち溢れていたのだろう。

最初は自分のやりたいことをって感じだったけど、それが形になってくると100人のお客さん全員が笑わなくていいから、せめて2割の人が笑ってくれればという気持ちに変わった。

やっぱり笑い声がまったく起こらないと、瞳孔は萎んでしまうから。

自分たちがやりたいことと、2割のお客さんがぼくたちの目指すところだった。

反対に、自分たちがやりたくないことと8割のお客さんはどうでもよかった。

AIのことを考えていたら、「客のデータなんて要らないから、もう一度自分と相方の瞳孔がギンギンに開くネタを考えよう」という決意に行き着いた。

人工知能のことを考えていたら、人間としての自分と相方のことを学ばせてもらった。

ぼくたちは、2019年の3月に武道館でライブをする。

「その時には、もう一度2割の客が笑えばいいっていう漫才をしようぜ！」

ラジオで相方にそう言った。

「いや、若林さん。オードリーのこと観に来たお客さんの2割しか笑わなかったら、それはもうスベってるから」

確かにそうだ。

「まぁ、なんでもいいんだけどとにかくやりたいことをやろう」

結局は、なんともありきたりなライブ前の決意となったのである。

いるにはいる異性

30代、テレビの収録などで「彼女はいないの？」とよく聞かれた。

この質問がめんどうでしょうがなかった。

聞く側も台本上そうなっているから聞くのだろうが、なかなか返答に困った。

苦し紛れに「いやぁ、なかなかできないですねー」と答えるのだが、そう答えると「だってお前モテるだろ？」と、返ってくる。

これが本当に地獄の返しで「いや、モテないですよ」と言うと「またまたー」と何ともいえない雰囲気になる。

で、あえて「はい、モテますよ！」と返すと「たかが知れてるだろ！」とつっこまれるという、どこにも逃げ場がないやり取りになるのである。

で、「まぁ、20代の仕事が全くない時よりは……」と答えると、スタジオの空気が鼻白んでしまう。

彼女ができなかった理由は単純に「忙しいから」ということなのだが、テレビでそれを言うのは勇気がいる。

忙し自慢ととられかねないし、「もっと忙しくても彼女がいる人はいるだろ？」と言われると何も返せない。

それでも、自分には目が合った瞬間に同棲が始まりでもしなければ、どうすれば彼女ができるのか分からなかった。

どういうことかというと、30代の前半の頃は、毎日仕事が23時ぐらいに終わって帰って来ていた。

仕事でうまくいったところより、ミスをした部分が気になる性格なので行きつけのカフェで30分悶々とする。

その後に番組のアンケートや次の日の収録の台本を読んだり、知らないタレントのことを調べたり、ライブが近い時はネタを書く。

1時過ぎに帰宅して風呂に入って、パソコンのエロ画像を見ながら自分磨きをしたらもう寝る時間なのである。

たまの休みは歯医者に行くか、髪を切りに行くか、マッサージに行くか、格闘技のジムに行くか、それで部屋の掃除をして宿題をするって感じだった。

それが30代前半の生活だった。

テレビを見ていて、その頃の自分と同じぐらいの年頃の芸人さんが「なんで彼女いないの?」と聞かれて困っているのを見ると、「あんま時間ないんだろうなー」と思う。

最近はレギュラー番組の収録が多くなってきたので、3年ぐらい前までと比べるとだいぶ落ち着いてきた。

だけど、30代前半は先ほど書いたような毎日の連続だった。

連日23時終わりとなると、まずその時間から誘える女の人がなかなかいない。

一度ご飯を食べても、次に誘いたい時に大体スケジュールが合わず、気づいたら誘うタイミングを逃している。

合コンをお願いしようにも、合コンを始めるような時間に終わる日がほとんどなかった。

それでも何度か合コンにも行ったのだが、その場は一生懸命自分のクズの部分を抑えるという修行のような時間だった。

そのフラストレーションが、帰り道にふつふつと湧いてきて爆発してしまう。

女子たちは美人で小綺麗な服を着ているのだが、「なぜにあんなにサービス精神が必要とされるのだろう」と心の中でブツブツ呟きながらの帰り道が毎回だった。なんかよく分からないけど謙虚なふりをしなきゃいけないし、自称Sだという女にマウントを取らせないとスムーズにいかないし、自称「私はサラダとか取り分けない自然体の女です」に自然体でいいねーと口に出さないまでも絡みの中で示さないといけなかった。

それが、めんどうでしょうがないのである。

でも、今思えば悪い子たちでは全然なくて、ぼくのフィルターが汚れまくっていたからそう見えていたのであろう。

そのフィルターの汚れは、テレビの仕事や金がない頃に売れてる先輩に連れて行ってもらった合コンでこびりついていたものだから始末に負えない。

当時の合コンでは、女の目線と鼓膜は売れている先輩にしか向けられていなかった。

そして、ぼくらは店の壁を見るような目で見られていた。

ある日、売れている先輩が合コンが始まる時間に遅れて、売れていないぼくともう一人の同期で女性3人とカラオケボックスで待つことになった。

先輩の仕事がだいぶ押して1時間を過ぎたあたりで「あの、本当に○○さんは来るんですか⁉」と一人の女が声をあげた。

必ず来ることを伝えると「本当は来ないのに私たち呼ばれてるわけじゃないですよね⁉」と言われ、そんなことはないと慌てて弁明した。

遅れること1時間半、先輩が到着すると女たちの声はワントーン上がり、目の輝きは格段に増したのであった。

でもそれは、考えてみると当然のことだ。

ぼくたち男が、美貌や胸やお尻や太ももに注目して、興奮すると目の輝きが増すのと全く同じシステムなのである。

むっつりのぼくがそれを悪い印象として持つ権利は、一切ないのである。ないのであるが、どうしても合コンには良い印象を持てずにいた。

そんな僕でも、30代前半になって個室の居酒屋を予約できる金を手に入れると、女の子と二人で飲みに行くこともあった。

早く彼女を作ってラジオでその話をして、オードリーをBL目線で見る人たちの数を減らしたいという欲求があった。

そういう目線は、こちらがおじさん然としてくると共にものすごいスピードで無くなる。

だから、放っておけばよかったのだと今は思う。

だが、その当時は気づかなかった。

同性に支持される、骨太芸人に憧れてしょうがなかったのである。

話を戻すが、そんなこんなで女の子と二人っきりで個室の居酒屋に飲みに行った。

個室に二人きり。30代になって初めてのことだった。

最初は、「おしゃれイズム」で話すかのような今までの人生の鉄板トークを1時間。

さながらトークライブのような勢いで、喋りまくった。

その後の1時間は、女の子への質問に次ぐ質問。

彼女の話に大げさに手を叩いて笑い、首がもげるほどうなずいて共感の言葉を紡いだ。

「ちょっとトイレ行ってくるね」

今までの脳のフル回転をクールダウンするためにトイレに入る。トイレに一人なのを確認し、大の方に入り鍵を閉め息を吸い込む。

「はぁ〜〜〜〜〜〜〜〜〜〜〜〜〜〜！」

とてつもなく大きいため息をひとつ。

その後、額を手で覆いトイレの壁にもたれ掛かる。

「あぁ〜〜〜〜、つまらない〜〜〜〜〜」

女の子と話すことが、めちゃくちゃつまらないのである。

何がつまらなかったのであろうか。

この話をすると、周りの男友達は「女の子におもしろさを求めるなよ」と口を揃えて言った。

いや、笑いの意味の〝おもしろさ〟じゃなくて、興味の方の〝おもしろさ〟がないのだ。

最初は、女の子の話に好奇心が湧かないのがいけないのだと思っていた。

でも、それは半分当たっていて半分は違っていた。

本当は……

「飯なんてなんでもいいと思っていること」

「表参道とか六本木を歩くと吐き気がすること」

「イルミネーションに感動なんてしたことがないこと」

そんなことを微塵も思っていないふりをして、自分が「真っ当な消費者であり、常識を持ち合わせた身軽な30代」を演じているのが苦痛で苦痛で仕方がなかったのである。

帰り道には、情報番組の収録直後に似た疲労感を覚えていた。

そんな折、友人から「自分のことは置いといて、女の子を喜ばせるためだけの存在になればいい」というアドバイスを貰った。

ぼくは、チャレンジした。

そして、本来の自分を抑え、週末だけ会う関係になった女の子がいた。

しばらくしてその女の子にねだられた指輪を、デパートの装飾品売り場に買いに行ったことがあった。

彼女が欲しがっていたメーカーの売り場を見つけ、その指輪をショーウインドウの中から見つけ出そうとしていたら店員に話しかけられた。

「何かお探しのものはありますか？」

その瞬間、ぼくは無言でそのフロアの隅に向かって猛然と走り出した。

隅に辿り着くと、そこでぼくはおいおいと泣き出してしまった。

デパートの装飾品売り場にいることが、なぜだかは今もわからないのだが嫌で嫌でしょうがなかったのである。

その日の夜、家に帰ってから同期の芸人を誘い、海まで行って打ち上げ花火をやりまくった。

手に持ってはいけないやつを手に持って、相手に向けて打った。

花火が終わると、相撲を取りはじめて砂だらけになって夜空に向かって雄叫びをあげた。

「女の子がいないと全く話さずに、女の子が来た途端に口数が増える正真正銘の女好きの男」というのがたまにいる。

ぼくは信じられない。

美人は見ているだけで心が洗われるのは分かるけど、「一瞬にしてこの世の価値を無化する生産性ゼロの男同士の悪ふざけ」よりも楽しいものなのだろうか?

指輪の一件以来、ぼくは彼女を作ることをすっかり諦めて、風俗に通いはじめた。

風俗の30分でぼくは……

「飯なんてなんでもいいと思っていること」

「表参道とか六本木を歩くと吐き気がすること」

「イルミネーションに感動なんてしたことがないこと」

それらに、負い目を感じなくても良かった。

あまりにも通い過ぎて、受付のボーイにバーベキューに誘われたり。

ボーイが組んでいるバンドの新曲のCDを貰って「感想を聞かせてください」と言われ、次に店に行った時に感想を伝えたりしていた。

そして、半年後にはもう指名の時に写真を見ただけで、母性に溢れている子を見極められるようになっていた。

尚、心を拗《こじ》らせ過ぎた子を見極める術は2ヵ月ほどでマスターした。

よく女性の看護師さんが白衣の天使と言われるが、風俗で果てた後「疲れてるね」と頭を撫でてくれた子や、余った時間で膝枕をしながら手をマッサージしてくれた子も、ぼくには天使に見えた。

でも、店を出たあの子と2時間以上話すことはできないのだろうなという諦めもあった。

30代の半ば頃、自分は女の子と2時間話すこともままならない異常者なのだ、と、諦めたような気持ちで風俗に通いながら生きていた。

そんな時、知り合いのスタッフさんから「今から渋谷に飲みに来ない?」という連絡があった。

小説家の西加奈子さんと加藤千恵さんと飲んでいるというのである。

二人の小説を読んでいてファンだったというのもあり参加させていただいた。

酒が入り本の話で盛り上がると、二人はぼくのエッセイも読んでくれていてだいぶ気分が良くなってしまった。

勢いに任せて……

「飯なんてなんでもいいと思っていること」

「表参道とか六本木を歩くと吐き気がすること」

「イルミネーションに感動なんてしたことがないこと」

それらを話すと、「若林さんなら、そらそうやろなー」とか「それって辛いですよね」と話を受けとめてくれたのだ。

共感できない話は、ゲラゲラ笑いながら聞いてくれた。

ぼくは自分の正直な話を、白い目で見られないことと、自分の話を異性でも受け入れてくれる人がいるんだ！　ということに腰を抜かすほど驚いた。

それはぼくにとって希望となり、自信にもなった。

それからというもの、自分が無理をしないでも話せる女性に対して、ぼくはかなり敏感になった。

ありきたりだけど、〝共通の趣味〟は異性とのコミュニケーションが苦手な男にとって、天から垂れる蜘蛛《くも》の糸である。

そして、〝悪口が合う人〟というのも〝共通の趣味〟並みのコミュニケーションツールだった。

異性とお互いの話を「分かる、分かる」と言い合っている時間は、美人を見ていることとはまた違う次元の昂りがある。

そして、相互理解の先に〝相手の喜ぶ顔が見たい〟という感情があった。

何をしたら喜んで貰えるか、イメージすることができたからだ。

そのことに気づくのに、ぼくの場合三十数年もかかってしまったのである。

男子校の弊害という言い訳では、済まされない拗らせ方だろう。

今はSNSなんかがあるから、同じ趣味を持つ人や少数派の人同士が出会う機会も増えているのかもしれない。

ぼくが若い時には、そういうのはあまりなかったから、女性のイメージを勝手に偏見で凝り固まらせて、勝手に苦手になっていたのだろう。

苦手になることによって、恋愛のリングに上がらずに傷つくことから自分を守るという、安い自己防衛の目的もあったのかもしれない。

「自分の価値観を聞き入れてくれる異性は世界に一人もいない」と思い込みながら生きている精神的な童貞は、世界に絶望していることとほとんど同じだ。

それでも異性の目を惹きつけたいという抑圧された欲望が暴発すると、大げさでも何でもなくて反社会的な行動に繋がってしまうこともあると思う。

「自分の価値観を受け入れてくれる異性が少数ではあるだろうけどいるにはいる」と思えることはそれはもう〝救い〟なのだ。

微妙な差に見えて、メンタルチェリーにとっては0か100の違いがある。

ぼくは、以前より女性が苦手ではなくなった。

自分の価値観を正直に披露した時どれだけ異性に白い目で見られようが、受けとめてくれる人がこの世界に「いるにはいる」ことを知っているからである。

片頭痛2

相変わらず片頭痛が治らない。

もう10年近く頭痛外来に通っている。

月に1、2回の発作に抑えられたら治療はゴールらしい。

回数は減ってきたのだが、まだ10回ぐらい片頭痛が出る月もある。

現世で片頭痛が完治することなどないともう諦めているのだが、「片頭痛に効く」と言われれば多少怪しい治療法でもガンガン試している。

謎のスーパーフードから、謎のお茶、謎のマッサージ、謎の金属の棒で頭をこする。もうほとんどラジオのネタ探しの要領で、挑戦しては「効かねーじゃねぇか！」と吠えることとの繰り返しである。

このあいだは、ゴッドハンドと言われているマッサージ師がいると聞いて試しに施術を受けてみた。

マンションの一室に入ると、白髪混じりの長髪を首の後ろで縛っているいかにも達人という出で立ちのマッサージ師に出迎えられた。

施術着に着替え、言われた通りマッサージ台に仰向けに寝た。

すると、ぼくのおでこの上で達人は指をパチン、パチンと鳴らし始めた。

「質問をするので、正直に答えてください」

そう言われたので、言う通りにすることにした。

「あなたは、疲れてますか？」

「はい」

「あなたはストレスが溜まってますか？」

「はい。少し」

「あなたは自分の思う通りに生きていますか？」

「うーん。まぁ、そうですかね」

「ダメだ。開かないな」

達人は首を傾げた。再び、おでこの上に指を持ってくる達人。

「あなたは自分の思う通りに生きていますか？」

もう一度聞かれた。

「え？　うーん、まぁそうなんじゃないですかね」

「……ダメだ。開かないな」

これは気を遣って、「思う通りに生きていない」と答えるべきなのだろうなとぼくは覚《さと》った。

「あなたは自分の思う通りに生きていますか？」

「生きていません」

「開いたーーーーーー!!」

達人は叫んで、ぼくのおでこの上で指を鳴らしまくっていた。

それと共にぼくの体を強引にひっくり返し、うつ伏せの状態にした。

すると、達人は息を吐きながらぼくの背中を両手で何度もなぞり始めた。

気を手の平から出しながらマッサージしているらしい。

時折、達人は「うぉ！」と言いながら後ろに仰《の》け反《ぞ》った。

聞くと、ぼくの邪気が強すぎて手に電気が流れるらしいのだ。

しばらくすると、達人はマッサージ台の横の丸椅子にヘタリと座り込んだ。

「続けられないよ」

ぼくの邪気にやられてこれ以上マッサージが続けられないと言う。

「あなた、優しそうな顔してるけどサムライだよ」

邪気なのにサムライなんだ。ゴッドハンド（神の手）がサムライに負けるなよ。

「見て、腕が青あざになっているでしょ？」

達人が前腕部《ぜんわんぶ》の内側を前に出して見せてきた。どう見ても、青あざになっていなかった。

残りの時間は、自分で拳と拳を軽くぶつけながら「痛い！」と声に出して言いなさいと謎の儀式を勧められた。

仕方がないので言う通りにした。

達人は、その間丸椅子に座ったままで、痛みに耐えるような表情を浮かべながら手首をずっと振っていた。

その日、家に帰ってからぼくはしっかり片頭痛になった。

そんな風に、効かないとわかっていても良いと言われたことは試してみていた。

ある日、いつも処方される予防薬をふとネットで調べてみた。

それが心療内科でも処方される薬だと知って、かかりつけの医者に聞いてみた。

すると「原因としてストレスもあると思うから」と言われ、一度心療内科の方も試しに行ってみてはどうかと提案された。

抵抗がなかった訳ではないが、片頭痛ルポ魂が疼《うず》いて行ってみることにした。

待合室は、病院という感じではなく図書館のロビーのような雰囲気だった。

待合室で待っている時、ついにここまで来たか、と、ここに来ることはずっと前に決まっていたかのような気持ちになった。

「なんでもない1日を 淡々と生きる」と筆で書かれたものが収められた額縁が、壁にかけられていた。

診察室に入ると、病院の一室というよりは校長室の一角のような雰囲気であった。

木製の両袖机があって、革の椅子に先生が座っていた。

向かいにも椅子があり、そこに座るように促された。

おじいちゃんと言ってもいい見た目の先生だったが、顔の皺の入り方や心の奥底まで見透かすことができそうな目で侮れない大人であることが一瞬で分かった。

優しいけど、嘘が通じなそうな顔。

「今日は、どうしたの？」

「片頭痛がもう10年も続いてるんです」

そう言うと、先生はまず家族関係や仕事について聞いてきた。

一通り話すと先生は「ぼく君のこと知ってるんだけど、なんで君あんなにたくさんテレビ出られるんだろうね?」と、言った。

「それが、自分でも分かんないんですよ。なんでぼくがって自分でも思います」

「そうだよね。特段、面白いこと言う訳じゃないのにねぇ」

普通だったらカチンときそうなものだけど、あまりにも淡々とそれを言うので笑ってしまった。

「いろいろ聞かせてもらったけど、外の評価を気にして緊張しているんだね」

「あー、それはあると思います」

「頭痛も心身症だね。緊張性頭痛だ」

「頭痛外来の先生にも、緊張性と言われました」

先生は、カルテに何やら書き込んでいる。

「あのね、ビートたけしやなんかになれる訳じゃないんだから。テレビの仕事無くなったらその後何やるか今から考えときなさいよ」

「いや、先生、ぼくできれば今の仕事ずっとやりたいんですよ」

先生は腕を組んで革の椅子の背もたれに体を沈めた。

「なんでよ?」

笑ってしまった。なんでって、患者が「やりたい」って言ったら尊重しろよ。

でも、なぜだかわからないけどこの先生に対しては怒りが湧いてこない。むしろ、話していて心が開かれて行く。それが長年カウンセラーをしてきたプロの為せる技であろうか。

「そんな、他人の顔色気にして頭痛になってまでやるもんじゃないじゃない」

「うーん。でも……」

「なんで気にするのよ。外のジャッジを」

「なんで？　……やっぱり受け入れられたいからですかね？」

先生はぐっと身を乗り出してきた。目が黒でも茶でもない不思議な色をしている。

「外のジャッジが間違っているとしても？」

「外のジャッジが間違っている？　……間違っているんですか？」

そんなこと考えたことなかった。

「間違っているよ。だって、ワイドショーやインターネットなんかよくわかんないことばっか言ってるじゃない」

「……」

その後「一応受けてみる？」と言われ、知能テストのようなものを受けた。

単語を聞いてそれを一言で説明したり、絵を見ておかしい所を指摘する簡単なテストだった。

テストの結果が出たらまた話しましょうということで、その日は終わった。

後日また病院に行くと、テストの結果が告げられた。

「特に問題はないんだけど、多少の固執傾向はありそうだね」

絵の中に1つだけあるおかしな所を指摘していくテストで、全体を見ずに一点だけをずっと見ているんじゃないかと言われた。

視野が狭いのは、子供の頃からのぼくの御家芸だ。

「あとはねー」

先生が、テストの結果の資料を捲《めく》っている。

「人によく話が飛ぶって言われる？」

「あ！　めちゃめちゃ言われます！」

「話聞いてる？　とか言われる？」

「あー、それも子供の頃からよく言われます」

突然「話聞いてんのか！」と目上の人に怒られることが、子供の頃からよくあった。

「人と話している時、5個ぐらいのこと同時に考えてる？」

「5個かはわからないですが、1つではないです」

「まぁ、みんな1つではないんだけどね……」

先生は、とりあえずといった感じでカルテに何やら書き込んでいた。

「あ、先生。ぼく、演劇を観に行った時に一つのシーンで他のことを考え始めてしまって、気づいたらかなり時間が進んでてストーリーがわからなくなっちゃうことがよくあるんですけど、それも同時に色々考えちゃうからですか？」

「あー、そうなんだ」

お芝居を観に行った時もそうだが、小説を読んでいる時も似たようなことがあって、頭の中で違うことを考えているんだけど文字は目で追っているからページ数がかなり進んでしまっていて、戻ってまた読み直すことがしょっちゅうある。

だから、ストーリーをメモしながら小説を読んでいるし、映画や芝居を観る時もそうだ。

一度もメモを取らずに最後のページまで読めてしまう本が年に一冊ぐらいあって、そういう本に出会えた時の喜びは計り知れない！

前に劇場で偶然関係者に出くわし、終演後「めっちゃ真剣にメモ取りながら観てたね!」と言われて、ものすごく恥ずかしかったことがある。

「すぐ、別のこと考えちゃうんだね」

ふと思った。

「先生、ぼくMCしている時、人の話聞きながら次に振る人とかカンペを同時に見ているんですけど、もしかして、そういう傾向があるからMCの仕事やらせてもらえてるんですかね?」

「……違うよ」

なぜか、先生は自信満々に即答した。

「君がMCやれるのは他人を緊張させない何かがあるからだよ。あれから君がテレビ出てると注意して見てみたんだけど、多分そうだよ。だって特段面白いこと言わないじゃない」

いや、面白いこと言わないはもういいよ。

「でも、先生。ぼく知り合いに、一緒にいると気を遣うってよく言われますよ」

「それは、君のことよく知ってる人でしょ? パッと見は緊張させない何かがあるよ。だって君、見た目弱そうじゃない」

心の中で、お前までリラックスするなよ、と呟いた。

だけど、なんだか嬉しい気持ちにもなった。

それ以降、処方される頭痛薬が全く一緒ということもあり、今まで通っていた頭痛外来に戻った。

このあいだ、1ヵ月に1回注射を打つと片頭痛が出にくくなる予防薬が、アメリカで承認されたというニュースが配信されていた。

その薬が、1回6万円強で減る頭痛の日数が1～2・5日と書かれていた。

高すぎるし、頭痛が減る日数が少なすぎる！

保険は利くのだろうか？　3割負担だとしても2万円弱。減る頭痛が多くても2・5日。迷うところだ。

でも、それが解禁されると鎮痛剤が商売上がったりになるので、業界が黙ってないだろうという噂も聞いた(なんでもいいから、本当に片頭痛を予防してくれるなら早く日本でも承認してくれ！)。

今も相変わらず片頭痛は頻繁に出る。

でも、よく思われようと緊張することはだいぶ軽減された。

だって、外のジャッジが正しいとは限らないから。

「そんな風に思っちゃってもいいんだ」

先生がそう思わせてくれた日、ぼくはとても爽快な気分だった。

外のジャッジに気を取られすぎると、自分のジャッジを蔑《ないがし》ろにしてしまう。

体力の減退

今年で40歳となると、肉体的に衰えを感じることがある。

白髪が出てきてついに白髪染めデビューを果たしたり。

プールでクロールをしていたら左肩を上げる時に痛みが生じて、まさか四十肩ではと冷や汗が出た。

無理矢理左腕を上げていたけど、おそらく四十肩なのだろう。

若い時なら2、3日で治ったであろう擦り傷が、治るまで1週間ぐらいかかったり。

ついこのあいだまで、仕事が夜遅く終わっても、ラジオのトークを作るために同期の芸人たちと飲み屋に集まったりしていた。

しかし、最近は仕事が終わって帰宅すると、誰かに連絡してみようかなと思いつつスマホを握ったままソファで寝てしまうことが多い。

収録現場で先輩たちと、何の違和感もなく人間ドックや健康診断の話をしている。

そういえば、同期の芸人同士で集まってもお笑い論を語ることが無くなった。

ちょっと前まではみんなで「漫才とは……」とか「テレビでの立ち回りって……」なんて話をよくしていた。

アラフォーになって、5年後や10年後を見越した話がとにかく減った。

未来の話より、今ここの話をおじさんはするのだ。

それが、健康や食べ物やゴルフの話なのだろう。

ラジオで相方が、いまだに自慰行為を毎日していると聞いて驚いた。

ぼくの場合は、週に1回か多くても2回だ。

なんでこんな下品な話をしているかというと、これは性欲だけの問題ではなくてもっと重大なことなのではないかという危機感を覚えたからなのである。

性欲だけならまだいい。

なんなら、性欲の低下は女性と話す時の落ち着きにも繋がっているようで助かっている。

問題は、性欲と創作意欲が同じ角度で下降しているのではないかという予感だ。

最初に実感したのは、収録でスベっても動じなくなったことだ。

今までならたいした実力もないくせに、自分を高く見積もって「なぜ、あそこであんなことを言ってしまったのだ」と収録後から寝るまで悶々としていたものだ。

だが、最近はスべった後「俺って10年間このぐらいしかできないもんな」と開き直ってしまうのである。

スベリに巻き込まれた共演者から気の毒そうな目を向けられることも、見ていて恥ずかしくなったであろうスタジオの観覧客の冷たい視線も、気にする気力が湧いてこないのだ。

今までスべっても気にせず、帰りの新幹線でPSVitaをやっている相方がとても不思議だったが、「なるほど、こういう心境か」と初めて理解できた気がした。

仕事もお金もない頃には考えられないような仕事をやらせてもらっている。

もちろんいくら感謝しても足りないぐらいの気持ちである。

しかし、実力以上の仕事をもらっていると思う分、ここが天井なのではないかという気持ちも正直に言うとあるのだ。

テレビに出始めて10年、ありえないような身に余る光栄に何度となく出会った。

それと同じぐらい、ものすごい才能の実力者に出会うことで自分の身の程も知った。

そして、自分が芸人を志した時に夢に描いていたことをするのは難しいんだなという絶望も味わった。

あとは、不祥事に気をつけ、天狗だと後ろ指をさされないように、いかに緩い傾斜で降りて行くか。そんなことを考えると、なんとも空虚な気持ちになるのである。

このあいだ、飲み会の帰り道、ついに〝疲れるな〟と思ってしまってとても悲しい気持ちになった。

飲み会が疲れることなど酒が飲める年齢になった時からずっとなのだが、この日は何が悲しいって〝ぼくが尊敬するモノ作りに励む人たちの飲み会〟の帰り道に〝疲れるな〟と思ってしまったのだ。

家に帰る気持ちにもならず散歩していたのだが、もうほとんど泣きそうだった。

モノ作りに励む人の「もっともっとモノを作っていこう」というモチベーションは、自分のモチベーションが低くなってしまったことを飲み会の間、ぼくに突きつけ続けた。

そういう劣等感を抱いたのは、初めてのことだった。

みんなのモノを作るための土台となる世の不条理についての熱い議論は、内心で「そんなこと言っても、システムは変わらないよ」になっていた。

飲み会の終わり際には、みんなが発するモチベーションの熱量に自分を合わせなければ排除されてしまうようなプレッシャーまで感じていた。

ここのところ、映画も見られないし小説も読めないし他の芸人さんのネタも見られない。

インプットしなきゃと自分に言い聞かせて見始めても、途端に気が重たくなってテレビを消してしまうのだ。

今年の頭にプレステ4を買ってぼくは急激にゲームにハマった。

最初、こんなにも面白いゲームがあるのか！　と驚いていた。

没頭していると、あっという間に時間が経ち、寝る時間になる。

悶々とする時間が、ゲームへの没頭で埋まるので気持ち的にはずいぶん楽になった。

悶々は首の後ろの方に日々蓄積されて重くなっていくけど、毎晩ゲームをするようになってからそれは軽減された。

アルコール依存症の人が帰宅してすぐ酒の瓶を開けるように、ゲームの電源を入れていた。

ゲームの達成感や、失敗して悔しいという感情は脳の刺激となってその日の仕事のストレスを中和した。

「なんだよ。20代の時からゲームやってりゃよかったな」

そうすれば、何年も毎日毎日夜の公園のベンチであぁでもないこうでもないと消耗することもなかったのに。

そう思った時、悩むって体力なんだなということに気づいた。

「おじさんになって体力がなくなると、悩むことができなくなるんだ」

近頃番組でスベっても気にしないのは、どうやらメンタルが強くなったのではなくて体力がなくなったからなのかもしれない。

20代の頃、今の自分ぐらい失敗したことを気にしなければもっと楽しく過ごせていたかもしれないなと悔しくなった。

ネガティブは、あり余る体力だ。

スターバックスでグランデと言えなかった若い時の自分。

その自意識過剰は、あり余る体力だよ。

39歳の今。「あいつ、グランデだって。気取ってやがる」と誰かに言われても、それを気にする体力がない。

だから、おじさんは腹が出ていて、服がダサくて、親父ギャグを言うのだ。

ここで言うおじさんは、実年齢のことではない。

気持ちの年齢だ。

現役のギラついた〝若いと言われたいおじさん〟は、痩せていて服がおしゃれでアドバイスが大好きなのだ。

ぼくは、この国に蔓延《まんえん》している冷笑文化がずっと嫌いだった。

そんな自分が、理想論を語るモノ作りのエキスパート達に、下劣な感情を抱いてしまった。

こんな悲しいことはなかった。

もしかしたら、飲み会の最中に皮肉の一つでも口にしていたかもしれない。

その時初めて冷笑野郎共の気持ちがわかるような気がした。

自分に失望している人は、希望に満ち溢れた人を妬む。

ネットやSNSでそういった人たちを攻撃しないと、自分が保てなくなる。

可能性の幅が広そうな人を揶揄しないと、自分が悲しくて仕方ないのだろう。

だから、熱さは嘲笑の対象となり、反対に現実を見極めているような妙に達観した人がネット上では持て囃されている。

何とかモチベーションを取り戻そうと焦った。

20代の頃聴いていた音楽を聴き直してみたり。

学生のアーティストの個展に行ってみたり。

話題の漫画を読んでみたり。

何をしても創作意欲にあふれている人たちの熱量に浮かされてしまうだけだった。

そんな中で、ぼくの心を癒してくれたのは一冊の本だった。

この話を聞いてもらった編集者の方から渡された、河合隼雄さんの『中年クライシス』という本だった。

そこには、中年を迎える男たちの悶々が描かれていた。

読んでいて「よし！　もういっちょやるか！」と元気が出るわけではないのだが、似たような経験や、自分より強めの斜陽を感じている人の姿に触れると、今の自分の心情が特別におかしいものではないような気がしてきたのである。

青年・壮年が中年に至る転換期に、通過儀礼的な何かがあるのかもしれないと思えた。

この読書体験は、集団セラピーと同じ効能があっただろう。

まぁ、ここに出てくる人よりはマシだから、狭まった道でも自分らしくやって行くか、なんてことを考えているとマネージャーから青森でライブがあるという話を聞いた。

「オードリーのオールナイトニッポン」の10周年の記念ライブツアーで、青森の200人のお客さんの前で新作の漫才をやることになったのだ。

ラジオが始まって10年かー、と思った。

テレビに出る前は、ファンが全然いなかった。

単独ライブは、親父の会社の社員と相方のお父さんの会社の社員で、客席が埋まっていた。

だけど、テレビに出始めてから急激にファンが増えた。

川崎で行われた、ＤＶＤ発売記念イベントに1万人のお客さんが集まった時、3年後には10分の1残っていれば良い方だろうなと冷めていた。

実際にそうなった時に、ショックを受けないための自己防衛だったのだろう。

だから、俺たちを応援してくれるお客さんというより、すぐに飽きる人たちという目で客席を見ていた。

また、ストロングスタイル気味の大喜利のライブで、舞台に出た瞬間に黄色い声援が上がった時(今では聞くことも無いが)、ファンに対して「恥ずかしい真似をするなよ」と内心で憤ったこともあった。

だが、ラジオが始まって10年である。

恥ずかしながら、ぼくらのラジオを聴いてくれている人たちを、〝リトルトゥース〟とぼくらは呼んでいる(書いてみるとやっぱり恥ずかしい)。

街や仕事現場で「リトルトゥースです」と言われると、これまた恥ずかしいが、なぜか3人で話してきたような気がして嬉しくなってしまうのである。

〝話を聞いてくれる人〟というのは、理解者のことである。

人間は、人生で理解者に何人出会えるだろうか。

いくら天才を諦めたぼくでも、10周年のライブは失敗できないという緊張感が生まれた。

下手なものは見せられないというプレッシャーを感じた。

もう、有能と思われようとあがくつもりはサラサラないが、チケット料金以上のものは見せなくてはならないという責任感が、ありがたいことに心の底から湧いて出てきてくれたのである。

まずネタを考える時に、理解者は俺たち二人のくだらない会話を、何で理解してくれるのだろう？　と考えた。

そういう風にネタを考え始めたのは、初めてのことだった。

その時に初めて気づいた。

俺はずっと自意識と自己顕示欲と承認欲求をベースにネタを作ってきたんだな、ということに。

それは自分にとって、目を背けたいほど恥ずかしいことであった。

喫茶店でネタ帳を開いた。

まず、自意識に塗《まみ》れた漫才ってなんだろうと考えて、ノートに書き出した。

それを見つけて、避けるためだ。

実力以上のことをやろうとして、背伸びしている漫才。

稽古の回数を多くしなきゃいけない漫才（二人の人間性にマッチしてないから、それを埋めるために稽古の回数を増やさなくてはならない）。

間やテンポを少しでもズラしてはいけないプレッシャーの中でやる漫才（本来の二人のテンポと間ではない）。

それらと反対のことをしようと心がけて作った漫才。

せっかくだから、理解者がラジオを聴いてくれている時の〝二人の感じ〟を、煮詰めて凝縮したようなネタが作りたい。

作っていると、そういえば芸人になりたての頃、こんな気持ちで漫才を作っていたような気がするなと思い出した。

それが、コンテストとか、テレビのネタ番組とか、コアなお笑いファンとか、ネタ見せの作家とか、事務所の社員とか、そういうものでなんか不純になってしまっていたんだ。

作っていて新鮮で、若い若い、粗い粗い、と自分でも驚いていた。

自意識が創作の燃料として枯渇《こかつ》した時に、次なるエネルギーを見つけるまでの間、うつっぽくなるのかもしれないというのがぼくの中の結論だった。

新しいエネルギーは、どこまで連れて行ってくれるだろうか？

〝ハイセンスだと思われたい〟というような自意識が低下したことによって、その反作用で隆起してきた「理解者がラジオを聴いてくれている時の〝感じ〟を、煮詰めて凝縮したようなネタが作りたい」という姿勢は、もの凄くオフェンシブな発想を引き出してくれた。

ネタが完成した時、正直、10年ぶりにオードリーの漫才がバージョンアップされた手応えがあった。

立ち稽古を始めると、高校生の時に部室の前で相方とふざけあっていた時を思い出した。

そんなことは、稽古をしても無駄なので2回やってその日は解散となった。

このネタをお客さんが受け入れてくれたらいいなと思った。

ライブ当日、出番前の袖でぼくは緊張していた。

今までは、緊張している自分をなんとか落ち着かせようと様々な工夫をしてきた。

しかし、この日は違った。

緊張していることに感謝の気持ちが芽生えたのである。

まだ緊張できるなら、俺は全然大丈夫だ。

漫才を終えて、舞台袖に戻ってきた時、40代でやるべき表現の初心を摑んだ手応えがあった。

エネルギーを〝上〟に向けられなくなったら終わりではない。〝正面〟に向ける方が、全然奥が深いのかもしれないと思えたのだ。

近頃、ぼくは家でゲームをあまりやらなくなった。

昨日より今日の方が感覚的に若くなるということが、実際にあるんだなと驚いた。

それは、何歳になっても〝昨日より伸びしろが広がることがある〟という新発見だった。

これが摑めたなら、過剰な自意識を連れ去ってくれる体力の減退も悪くはない。

自意識過剰な人間は、歳を重ねると楽になって若返る。

あとがき

夜の散歩は20年来の日課だ。

仕事や飲み会の後で、家で一人でいると頭の中がうるさすぎる。

だから、散歩をする。

鍼灸師の先生が、ぼくの体のことを下半身は筋肉が締まっているのに上半身はぶよぶよだと言っていた。

特に頭部が浮腫《むく》んでいるらしい。

おそらく、毎日結構な距離を歩いているので下半身の筋肉は締まっているのだろう。

いつもの散歩コースの神社の階段を降りて大通りに出た。

すると、頭にすっぽりと黒いフードをかぶった暗い目をした男とすれ違った。

一瞬目が合ったけど、世界への恨みを募《つの》らせたような目つきが怖くて思わず目を背けた。

もう少し目を合わせている時間が長かったら、殴りかかってきていたのではないだろうかというような目つきだった。

「誰でもいいから殴りたい」。目がそう言っていた。

世界への恨みは歩き方にも現れていた。

歩行速度が遅く、あまり足を上げずに擦《す》るように足を出す。

その足音が「ここには居たくない」ことと「行き先がない」ことを同時に表していた。

足音を背中で微かに聞きながら、横断歩道の信号が青に変わるのを待っていた。

すると突然、後方から何かを強い力で蹴り飛ばしたような衝撃音が深夜の大通りに鳴り響いた。

ビックリして後ろを振り向くと、工事用の赤いカラーコーンと黄色と黒のコーンバーが散乱していた。

そのすぐ横にはさっきの黒いフードの男が立っていて、こちらを睨みつけていた。

ぼくはすぐさま前を向き「早く青になれ！」と心の中で祈った。

青になるやいなや、一目散に横断歩道を渡った。

反対側の歩道に辿り着いて、追ってくる気配がないのをなんとなく感じながら後ろを振り返った。

男はまた怒りのやり場を探しているような歩き方でゆらゆらと歩いていた。

その背中からしばらく目が離せなくなった。


違う、違う。

お前と俺は多分話が合うんだよ。

きっと苦しくて、なんでこんなに苦しいんだろう？　ってずっと考えていたらそれは外の世界全体のせいのような気がしてるんだろ？

それでもし「誰でもいいから揉めたい」ってイラついているんだとしたら君とぼくは話が合うんだよ。

でも、仕事が無い若い時代からは考えられないような額のお金を貰っていて、ゴルフや海外旅行に興じている俺は「君と一緒」なんて言うのはもう許されないのだろうね。

あーあ、せっかく話が合うのに。

＊

今、改めてこの本を読み返すと今回は随分とバランスの悪いエッセイ集になったなと思う。

前作は20代に過ごした長いモラトリアムを経て、初めて社会に参加する驚きが一冊を貫いていたと我ながら思う。

でも、今回は軸が見当たらない。

青年とおっさんの狭間の不明瞭さが全体を覆っている。

「若林は、自分の内面のことよく考えるんだね」

前作の感想を、普段本を読まない先輩がそう伝えてくれたことがあった。

（そうだよな。真っ当に生きている人はこんなくだらないことを考えなくていいもんな）

子供の頃からずっと思ってきたことだ。

「自分探し」という言葉が嘲笑として使われる理由は単純で、ほとんどの人がそれをしなくてもいいからだ。

厳密に言うと、ほとんどの人がそれを思春期に終えるからということなのかもしれない。

では、自分探しをしなくてはいけない人（自分を探して見つけなければいけない人）というのはどういう人のことだろう？

それは、自分がよくわからない人のことだ。

自分がよくわからない人というのは、他の人と自分が何か違うような気がしている人だ。

学校の文化祭の終わりに感動して泣けて、会社の飲み会で見事に上司の機嫌を取り、彼女とイルミネーションを何の疑問も持たずに見に行けて、ハワイで結婚式を挙げて両親を喜ばせられる人は自分など探さなくてもいいだろう。

逆に、

なぜクラスで自分だけが注射を怖くて打てないのかわからない。

なぜ制服の第一ボタンをしめなければいけないのかわからない。

なぜ失恋を6年も引きずってしまうのかわからない。

なぜ飲み会がこんなにも苦痛なのかわからない。

なぜ異性に話しかけられないのかわからない。

なぜ上司にお酌をしなければいけないのかわからない。

なぜこんなにも毎日頭が痛くなるのかわからない。

なぜ誰かに言われた何気ない一言に、何日も四六時中苦しみ続けなければいけないのかわからない。

そういう人間は、自分を探して見つけないとこのクソ社会を生き抜くことができないのだ。


生きかた上手を馬鹿にしているわけではない。

もうそんな次元じゃないのだ。

むしろ憧れている。

そして、生きかた上手には生きかた上手の悩みがあるということも、この歳になれば何となくわかる。

でも、彼らはぼくからすると説明書を読まずとも人生というゲームをどんどんクリアしていく超人だ。

そういう人に比べて、自分は圧倒的に劣っているのだ。

説明書を片手に、何度も失敗しながら少しずつゲームを進めていかなければならない。

キャラクターの操作方法が「自分探し」で、ゲームの攻略本が「社会探し」だろう。

前作を読んだ先輩が「お前は苦労してるつもりかもしれないけど、みんな同じ苦労を努力して乗り越えてるんだよ」と言っていた。

もう本当に溜息が出る。

早く、体温計で熱を測るように、脳波や脳内物質のバランスが簡単に視覚化できるモノが発明されればいいと思う。

一流のアスリートが「全ては自己責任だ」と言い切ったり。

ビジネスの成功者がビジネス書なんかで強者の論理を振りかざしたり。

マジで反吐《へど》が出る。

そういう奴らは、

「考えすぎ」

「気の持ちようだよ」

「前向きに捉えなきゃダメだよ」

とか、

「口角を上げよう」

「背すじを伸ばそう」

「挑戦し続けよう」

みたいな、生きかた音痴にとっては何の役にも立たないクソみたいな言葉を簡単に投げかけてくる。

それを凝縮して固めたような自己啓発本なんか、当然何の役にも立たない。

あそこに書いてあるのは、人生の茶帯が黒帯になる方法だ。

道着すら持っていないジャージの見学が、黒帯になる方法はどこを探しても書かれていないのだ。

だから要約すると「気にするな」なんてクソみたいなメッセージが堂々と書かれている。

こっちは気にしすぎなくなる薬がもしあるなら、常用したいぐらいにはもう生まれた時から気にしすぎてしまうのだ。

知りたいのは「読んだだけで死ぬまで気にしすぎなくなる方法」だ。

きっと、人の生き辛さの正体はこれからもっと医学や科学で解明されていくと思う。

でも、今の時代は発展途上なのである。

だから、身体能力などと違って心の有り様は「努力すれば何とかなる」なんて無茶苦茶な文脈が根強く残っているのである。

ぼくは今でも後悔している高校時代の発言がある。

体育の時間のバレーボールの試合で、当時オタクと言われていた運動音痴の同級生が立て続けにレシーブを失敗しているのを見て「お前ふざけてんのか?」と言ってしまったことだ。

彼は、努力をしていないわけではない。

なぜか、レシーブができないのだ。

なぜかできる人は、なぜかできない人の気持ちがわからない。

＊

この本の最初のエッセイは、半年の休載を経て書いたものだった。

内面の洞察には、前作を出した後で少し飽きてきた感覚があった。

ぼくの悪い癖で「だいたいわかった」と舐めるとすぐにやめてしまうのだ。

その後は、精神医学と脳科学の本にハマった。

そういった本を立て続けに読んでいた時期に、「アメトーーク！」の読書芸人のオファーをいただいた。

その頃は小説をほとんど読んでいなくて、脳科学か精神医学の本しか読んでいなかった。紹介できる本のタイトルにどぎつい病名がたくさん含まれていたので出演をお断りさせていただいた。

そういう本にハマったのは、生き辛さに対しての脳科学や精神医学のアプローチが新鮮に頭に入ってきたからだ。

これは、うまい具合に生きかた上手達の「気の持ちようだよ」に対する理論武装ができそうだぞと手応えを感じた。

だけど、それも超入門編を数冊読んだだけで「だいたいわかった」と自分なりに納得したらすぐ飽きてしまった。

その後に気になったのは、外の世界のことだった。

テレビに出たての10年前、大きなホテルの宴会場で番組の打ち上げがあった。

挨拶を促されたプロデューサーが、タライぐらいのサイズの盃《さかずき》の酒を飲み始めた。「お⁉」「おー⁉」と会場にはそれを後押しする掛け声が上がっていた。

結局、一気に酒を飲み干すことはできずに、残りの酒を頭からかぶったずぶ濡れのプロデューサーが「視聴率取るぞー！」と叫んで会場は拍手に包まれた（そういえば、今はそういう光景は全く見なくなった。ホテルの宴会場の打ち上げなんて聞くことも無い）。

今思えば、こういった儀式はその集団への帰属意識の表明であってそれが存在する理由は何となく分かる。

でも、当時は全く知らない遠い外国の部族のところに体験ロケに行って、何かの儀式を見ている時のような目でそれを見ていた。

そういうこの国に今も存在している年功序列や同調圧力、建前や社交辞令。それらが成り立った背景を知りたかった。

それを批判したいのではなく、あくまで生きかた音痴が疲れないで生きるためにゲームの攻略本を読むような気持ちであった。

同時に、そういう風潮が消滅しつつもあるような今の流れもどこから来ているのか知りたかった。

多くの人からしたら自動的に従えばよいのだろうが、理由がわからないとできないぼくのようなバカもこの世には存在するのだ。

それらが知りたくて家庭教師をお願いしたのも、休載が明けてすぐのことだった。

中高時代進級もままならず、卒業も土下座でしたような頭の悪いぼくがアラフォーの手習いではじめた勉強。

これは本当に家庭教師のおかげなのだが、中学生用の教科書を買って勉強した日本史の明治以降と世界史の産業革命以降はものすごくおもしろかった。

ぼくの疑問が意外と支配者達が合理的に統治するために生まれたようなものばかりだったから、理由がわかるとぼくの心はだいぶ救われた。

そして、それらの風習は常に一長一短で、世界史を通してみてもその時代の文化や風習が完璧だった時代など一時も無かった。

家庭教師に教わっていて、こんなに楽しいなら学生時代にもちゃんと学んでおけばよかったと後悔した。

影響されやすいぼくは、それで資本主義や新自由主義以外の国をどうしてもこの目で見てみたくなって社会主義国であるキューバに出掛けた。

キューバから帰ってきたぼくは、大きめのブランドのロゴのバックルのベルトをして、散々擦《こす》り倒されたような人生訓を偉そうにアドバイスしてくるようなバブル世代の先輩がこの日本社会に存在する理由も「だいたいわかった」と自分なりに納得したらすぐ飽きてしまった。

その後に、モンゴル旅行で13世紀村に行って（あれは本当に楽しかった！）遊牧民の集団生活を再現した場所を見た。

それを見たら、どんな職業の人もプロフェッショナルでこの社会を成立させている大事な一員なんだということがやっと実感として得られた。

そして、モンゴルから帰ってくると、またしてもこの社会の分業について「だいたいわかった」と浅く納得して飽きてしまった。

こんなことは一所懸命に勉強した学生なら、わざわざ旅行に行かなくても理解できるのだろう。

いや、勉強をしなくても肌感覚でこの社会の仕組みと生き抜くコツがわかってしまう人がほとんどなのかもしれない。

ぼくのようなお酉一つとっても納得がいかない男のことを〝バカ〟と言うのだろう。

だからぼくは、脳科学の本を読まずとも明るくて、歴史を学ばずとも生きるセンスがある人に大きめのコンプレックスがある。

また、そういう人が芸能界には溢れているから毎日本当に疲れる。

家庭教師に教わっているのはぼくの「何故《なぜ》？」に対する解であって、せっかく教科書で勉強しても「だいたいわかった」らすぐ忘れてしまう。

目的は、疑問からの解放だから。

苦しみからの解放と言った方が適当なのかもしれない。

あ、苦しいなんて言ったら黒いフードの男に殴られてしまうね。

２０１６年4月14日に親父が他界した。

親父が死んでから、自意識と自己顕示欲の質量が急激に減った感覚があった。

そして、〝会いたい人にもう会えない〟という絶対的な事実が〝会う〟ということの価値を急激に高めた。

誰と会ったか、と、誰と合ったか。

俺はもうほとんど人生は〝合う人に会う〟ってことで良いんじゃないかって思った。

それは、家族だし、友達だし、先輩だし、後輩だし、仕事仲間だし、ファンだし、相方だし。

そういう合った人にこれからも会えるようにがんばる、ってことが結論で良いんじゃないかなって思った。

誰とでも合う自分じゃないからこそ、本当に心の底から合う人に会えることの喜びと奇跡を深く感じられた。

初めて自分が人見知りであったことに感謝できた。

だけど、〝合う人に会う〟ことと〝合わない奴に会わなくても済む〟ようになるには相当タフなサバイバルを続けなくてはならないのも事実だ。

だけど、合う人に会うためならこんなぼくでもそれはがんばれる気がする。

あー、親父にもう一度だけでいいから会いたいな。

黒いフードの君、もし深夜の井ノ頭通りでまた偶然会えたらこの本の感想を聞かせてよ。

これをもって2010年7月からの自分探しと社会探しを終了とさせていただきたい。

もう「だいたいわかった」から。

明日のナナメの夕暮れ（文庫版のためのあとがき）

銀座のタリーズで約三年ぶりに『ナナメの夕暮れ』の単行本を開いた。この度の文庫化のために本文を読み直す前、なぜか俺は少し緊張していた。このエッセイには、六年前から三年前までに書かれたことが収載されている。その時の自分は今の俺を受け入れてくれるだろうか。俺は映画『ムーンライト』が好きで何度も観ているのだが、その残り二十五分ぐらいのシーンのケヴィンに会う前のシャロン。彼もそんな気分だったのではないだろうか。コーヒーを一口飲み、心を落ち着けてページを捲った。

読んでいる間は、タリーズで過去の自分と向かい合わせに座って、話をしているような気持ちになった。過去の自分から今考えていることをたくさん聞かせてもらったし、今の俺が感じていることも六年前の自分にたくさん聞いてもらった。

読み終わって、会いたかったような、会いたくなかったような。話すのが楽しかったような、少し面倒だったような。そんな気分になった。過去の自分が言っていることを否定するつもりは勿論なかったけど、全面的に肯定する気持ちも湧かなかった。自分の内面と向き合うことが、こんなにも億劫になったのはいつ頃からだろうか。
コーヒーのチェーン店で吐いた一言で人生が激変するほど、人生は甘くない。だけれども、話を聞いてもらうことによって、もう少しだけ生きてみようと思えることもある。それを知っているから、過去の自分にアドバイスも、ましてや説教もしたくなかった。ただ、単純に言っていることが分かるから「わかるよ」と口にしながら話を聞き続けていた。

テレビに出始めの三十代になりたての頃は、生来の人見知りが発動して、飲みに行けるような仲間はなかなか出来なかった。しかしながら、三十代の半ば辺りから縁あって、芸人、テレビマン、小説家、ミュージシャン、様々な人と夜の仕事終わりに居酒屋に集まってしばしば交流する機会に恵まれた。集まって時間が経てば経つほどに、会話は熱を帯びてくる。閉店時間が過ぎ店を追い出されると、朝までやっている店に移動して話し続けた。話していた内容は様々だったが、目的は、各人が自分の価値観を信頼している人たちと擦り合わせるようなことだったと今になって思う。ある事件を通して、ある映画を通して、ある小説を通して、あるお笑い芸人のネタを通して、自分の過去の出来事を通して、今感じていることを通して、確かめ合い、時には対決していたのかもしれない。今思うと、それを朝まで続けられる体力に驚く。それだけ、生きるために確かめ合うことが重要だったのだろう。当時は悩みがあるということは紛れも無い苦しみだったが、悩み続けられるということは、生命力であり体力なのだということが今の歳になって身に沁みる。若者には経験の少なさを補うために体力を、おじさんには経験を積み重ねた分だけ体力の減退を、神がそう設定したならば、さすがと言わざるを得ない。

そういう集まりは、四十歳を目前にした頃から急激に減った。ある季節が終わっていくんだなということに薄々気づいていた。各人が、職場での立場の移り変わり、結婚、出産、海外移住、そういった人生の大きな出来事を通して、自分のためだけに生きる時間よりも他者のために生きる時間が占める割合が多くなっていくのだなと感じた。

久しぶりに開かれた居酒屋での会合の個室に、生まれたばかりの赤ちゃんが三人座布団の上で寝息を立てていた。その赤ちゃんが泣き始めると会話は中断され、お母さんがあやす。その度に、俺は自分に拘るということが何か後ろめたいような気持ちになった。

それ以降、個別で飲みに行くことはあっても、その飲み会が開かれることは無くなった。

世界の歪さにも、己という乗り物の操縦の難しさにも慣れて、フォームが定まってくると人は夜から朝にかけて語り尽くす必要がなくなるのかもしれない。若しくは、フォームが定まっていなくても、歳を重ねると社会や他者への義憤が諦念に変化して、考えること自体に飽きるのかもしれない。だけど、俺はまだ俺の内側を覗き込むことが終わっていなくて、みんなから取り残されて行くような、そんな焦りを感じていた。

『ナナメの夕暮れ』を読んでいて「この人は外の世界の価値観をとことん疑っているんだな」ということがひしひしと伝わってきた。「そういうものだ」とすぐに飲み込むことができない。そして、その疑い方は間違っていないと伝えてあげたくなった。自分が欲しいと思わないものを、みんなが欲しがっている（ような気がする）。自分が別に行きたいと思わないところに、みんなが行きたがっている（ような気がする）。自分がおもしろくないと思っているものを、みんながおもしろいと言っている（ような気がする）。だけど、自分の感覚を信じ切ることもまだできないから、自分自身をも疑ってしまう。

疑うのも無理はない。だって君はモノよりコト。コトよりもヒトに価値を感じる人間だから。何かモノを所有したり、消費することにあまり価値を感じない。例えば、漫才で客席の笑いに包まれるとか、収録で頭のネジが吹っ飛ぶぐらい笑うとか、まぁ、年に数回しかないだろうけど、そういう自分と世界の境目が曖昧になって、時間の感覚と自意識が吹っ飛んでいくような、そういう瞬間を心待ちにしているのだから。今はフロー状態なんて便利な言葉があるけど、謂わば君はそれのジャンキーだよ。だから、大事なヒトと何かコトを起こすのを目指すといい。というか、それに早く気づけよ。そんな風にヤキモキしながら読み進めていた。

でもまぁ、おかしい、何かがおかしい。そう思い続けているからキューバやモンゴルやアイスランドまで確かめに行く必要があったのだろう。それでやっと、モノよりコト、コトよりヒト、ということに気づけたなら上出来だと褒めてあげたくもなった。

救急車が鳴らしているサイレンの音を車内から聞いたのは初めてのことだった。俺という人間のために道を開けてくれているであろう車が何台もあると思うと居た堪れない気持ちになった。目を瞑ると向こうの世界に逝ってしまいそうな気がしたので、意地でも瞼は閉じないように、救急車の天井を睨みつけるように見つめていた。車が左折なのか右折なのか分からないが、曲がる度に内臓がかき混ぜられるように気持ち悪くなるので勘弁して欲しい。依然として、肩の先から指先、脚の付け根からつま先までが痺れて動かせない状態だった。段々と顎の付け根も同じように痺れてきて、これが頭部全体に及んだら気を失うのだろうなと怖くなった。視界の色味が段々と薄くなって狭くなっていく。聞こえる音が段々遠くなっていく。そういえばバトルロイヤル形式のオンラインゲームでも、撃たれて死の直前になるとそのように景色が見える。あれは、よく出来ているなと感心した。それはいいとして、目を瞑ったら気を失いそうなので、再び眼球に力を入れる。そうするとまた色が明るさを取り戻す。搬送中はその繰り返しだった。『明日のたりないふたり』のライブが終わった直後に舞台袖で倒れた。漫才が終わって袖に入るなり膝に力が入らなくなって崩れ落ちた。それから、鳩尾《みぞおち》の辺りが痺れてきて、どこか内臓の血管が切れたのか？と思った。両腕と両脚の先が痺れ始めて、しばらくして両手両脚は固まったように動かなくなった。右耳の後ろ辺りが波打つように激しく拍動して痛いので、その辺りの血管が切れたのかもしれない。高校のアメフト部の試合で脳震盪になった時とも、テレビに出始めてから習い始めた総合格闘技のジムのスパーリングで、ＫＯされた時とも全く違う感覚だった。首から下の身体にとにかく覇気が無いのだ。

た。舞台袖で仰向けになって天井を見上げるしかない自分が悔しくて悔しくて仕方なかった。アメフトでは仰向けに倒されることをアオテンと呼ぶ。それは屈辱的な言葉として使われているのだが、相手とヒットした後に仰向けに倒されて天を見上げてしまうという状態がおそらく語源だと思われる。その名残なのか、立ち上がれず大勢のスタッフに心配そうに見下ろされている自分が不甲斐なくて仕方なかった。自分が未だにそういう体育会っぽい精神性を持ち合わせていることが意外だった。

相変わらず救急車はサイレンをけたたましく鳴らしながら走っている。両手両脚は更に痺れてきて、両腕と両脚の内部で強い炭酸が気泡を発しながら激しく立ち上り続けているような感覚だった。

救急車の天井を見ながら、そうか、こうなるのか、と思った。丁度『明日のたりないふたり』のライブに人生で逢えてよかったと心の底から感じている人達が勢揃いしていたこともあって、これで終わるということなのか、と。そういえば、『ドラゴンボール』の最終巻の最後のページも主要な登場人物が勢揃いしていたなと思い出した。今思うと、そんなことを考えられるぐらいなら、そんな大事ではないことが分かる。でも、リアルタイムでは、ならば自分の人生の総決算をするか、死んでたまるかと気合いを入れれ直して今のこの状況と戦うか、迷っていた。いずれにしても、昔テレビの収録で学者が言っていた「死の直前は脳の時間感覚が変わって五分間を十年ぐらいに感じる」という説は無さそうだなと思った。自分の生が走馬灯のように回るということもなさそうだ。いや、本当に死ぬ時はそうなのかもしれないが、死ぬ時は全ての迷いが途中のまま、全ての疑問が途中のまま、それこそ、舞台袖の暗幕をサッとくぐるように逝くんだなという感覚を抱いた。それで、その後の自分のいない世界は何事もなかったかのように舞台上で続いていく。そんなことを考えていたことも脳裏に鮮明に焼き付いている。

救急車の中では、自分の心音が心電図モニターから聞こえていた。そんなことを感じたのは初めてのことだったのだが、心音に随分励まされた。心臓はまだまだやるつもりでいやがる。そんな心臓が自分よりも自分な気がして、脳よりも自分で、昔、消えたくなって夜の公園で頭を抱えていた時も、仕事を続けていく自信をなくして眠れずに毛布を頭から被っていた時も、同じように心臓は動いてくれていたのだなと感謝の念が急に湧いた。それと共に、心臓に対してもっと楽しませてあげられなくて申し訳なかったなと思った。「いつか」と思ってそんなにやりたくないこともやってきたし、やりたいことを我慢もしてきた。休みたいけど、休むことが怖くて仕事をしてきた。いや、それは多くの人がそうなのかもしれない。それが働くということなのかもしれない。だけど、俺にとってそれは「いつか」のためだった。だけど「いつか」なんて無いんだ。

それと共に「もう十分やったな」という感想も顔を覗かせてきた。若林正恭という出来損ないの容れ物にしちゃあよくやったよ。そんな風に思う度に心音がそれを掻き消した。「いや、まだまだやることあるわ!」と怒りのような感情を含んだ音のように感じられた。

「考えるな感じろ」というブルース・リーの台詞が俺はあまり好きではなかった。自分はどうしたって考え過ぎてしまう人間だから劣等感を刺激される言葉だった。あんな言葉を大切にしている奴らは、デフォルトで考え過ぎないように設定されている奴らで、自分とは違うシステムの人間だと決めつけていた。だけど、「考えるな心臓が喜ぶことをしろ」なら今の俺は分かる。ちょっと、語呂が悪過ぎるけど。

救急車が段差に乗り上げる振動がストレッチャーから背中に伝わってきて、サイレンが止まった。勢いよくバックドアが開け放たれて救急隊の方にストレッチャーごと外に引っ張り出される。視界が救急車の天井から夜空に変わったと思ったら、すぐに病院の天井に変わってストレッチャーのキャスター音が救急病棟に響いていた。医療もののドラマなんかでこういうカットを見たことがあるなと既視感を覚えた。

駆けつけてくれた同年代ぐらいであろう男性の医師に、名前と年齢と住所と電話番号を聞かれた。意識の確認なのだろう。

「手足が痺れ始めたのはいつからですか？」

医師が切迫した表情で俺に顔を近づける。

「漫才のライブをやっていたのですが、ライブの終わり際に手足というか鳩尾の辺りから痺れ始めて、ライブが終わって袖に入った途端に力が入らなくなって倒れました」

口と舌を動かすのがこんなに力がいることだと感じたのは初めてだった。

「なるほど、舞台で滑って頭を打ったりとかそういうことはありましたか？」

スベった？　そう聞かれた時に、ライブ終了直後の芸人に失礼なことを聞く人だなと思った。

「いえ、頭を打ったりはしていません」

多分してないよな？　ライブが二時間ぐらいあったからよく覚えていない。

「心拍、血圧、酸素量、問題ないのですが、すぐに頭のＭＲＩ撮ろうと思います。よろしいですか？」

「あ、はい」

そう答えると、別のストレッチャーが横付けされて、医師と看護師さんに身体を持ち上げられて移動させてもらった。そのまま運ばれてMRIのトンネルの前に辿り着いた。すると、また数人の医師と看護師さんに今度はMRIの寝台へ、身体を持ち上げられて移動させてもらった。

「身体の中に金属、ボルトやペースメーカーなどありますか？」

MRIの技師さんであろう方に聞かれる。

「あ、無いです」

MRIは今まで部活の怪我や片頭痛の検査で、トンネルに入ることには慣れている。

「では、十五分ぐらいで撮り終わりますからね」

身体を寝台にベルトで固定されている辺りから急激に眠たくなってきた。「心拍、血圧、酸素量問題ないです」と言われて「死にはしなさそうだな」と安心したのか、それから急激に眠気が襲ってきた。もう目を瞑っても大丈夫そうだ。防音のヘッドホンを装着させられて、トンネルの中に寝台が移動していったあたりから記憶がない。

「MRIの撮影終わったので、救命病棟に戻ります」

その声で目を覚ますとまたストレッチャーに身体を移動させられて、キャスターが転がる音が聞こえ再び天井が動き始めた。よくドラマであるシーンは技術さんがここにカメラを構えたまま寝て撮っているのかな。まぁ、今はそんなこと考えなくていいか。ストレッチャーは救命病棟のベッドに横付けされてベッドの上に身体をまた移動させられた。搬送されると、とにかくいろんなものに移動させられるんだな。しかし、なんでこんなに両腕と両脚が痺れて動かないのか早く知りたい。右耳の後ろの方もまだドクドクと脈を打つように痛いので、頭の血管かな？でも、このぐらいの痛みだったら持病の片頭痛の方がよっぽど痛いしな。ラジオで話すかもしれないから、起こっている事はなるべく覚えておこう。そんなことを考えていると、また強烈な眠気が襲ってきた。

「はい、はい。そうなんですよ、頭の方は異常なかったのですが、血液検査の炎症の数値がかなり高いので内臓かなと思います、本人も鳩尾の辺りから痺れ始めたと言っていましたし……あ、はい心臓も問題ないです」

男性の医師ともう一人担当してくれていた女医さんが、電話で話している声が閉じられたカーテンの向こうから聞こえてきて目が覚めた。いつの間にか点滴が腕に刺さっている。電話の声に耳を傾けながら、天井を見ていた。頭と心臓に問題が無ければ死にはしなさそうだ。ただ、この両腕と両脚の痺れはいつ収まるのだろうか。

そういえば、『エヴァンゲリオン』で戦闘の後、よく碇シンジくんも病室の天井の視点からまた物語が再開するなと余計なことを考えていた。ライブ中、もしかすると俺はエヴァに乗っていたのかもしれない。そんな大袈裟なものじゃないだろ。と自分につっこみを入れていると、カーテンが開けられて男性の医師と女医さんが二人で入ってきた。

「若林さん、安心してください。頭も心臓も全く問題ありませんでした。命に別状があるとかそういうことはありません。それでさっき鳩尾から痺れはじめたと言っていましたけど、今はどうですか？」

自分の鳩尾に手を当ててみる。

「あ、そうですね、今も痺れてます」

医師はそれを聞いて、腕を組んで天井を見上げた。

「うーん、過換気症候群って聞いたことありますか？」

医師が視線を俺の顔に戻す。

「あ、はい、過呼吸のことですよね？」

医師が頷く。

「そうです。過呼吸の典型的な症状なので、後一時間もすれば手足の痺れは治って来ると思います」

そっか。過呼吸か。良かった。なんだか、お騒がせしちゃったな。そういえば、高校生の時、練習後にグラウンドにボールが一つ置きっぱなしにされているのを上級生が見つけて、一年生全員が連帯責任で罰として走らされたことがあった。どのぐらいの時間走らされていたか忘れたが、その時に友達が突然倒れて救急車で搬送されたことがあった。その時も過呼吸だったと聞いた。それと同じだ。

「なんですけど、う〜ん、ちょっと他のところで気になることが一つあって、内臓に何か問題がないと出ない炎症の数値が血液検査で出てまして、お腹が痛いとかそういうことはありませんか？」

自分の注意を腹部に向けてみる。

「お腹……そうですね、痛くないです」

依然として鳩尾は痺れているけど、腹部が痛いということはない。

「そうですか。あの、虫垂炎とかそういうことが起こっていないと出ない数値なので、それが気になるんですよね。ここのところ数日お腹が痛かったってこともないですよね？」

ここ数日あんまり寝てなかったけど、腹が痛いということはなかった。

「あ、はい。無いです」

医師はまた腕を組んで天井を見上げた。

「うーん、そうですか。虫垂炎にしても右のお腹の下の方に痛みが出ないとCTには映らないのですが、念の為に腹部の方も今からCT撮りましょうか？」

医師が組んだ腕の指先をトントンと動かしながら言う。

「えっと、それは選べるんですか？」

ここへ来て早く家に帰りたいという気持ちが頭をもたげてくる。

「そうですね、例えばですけど、この後お家に戻られてまた腹部の痛みが出たりしたら病院に連絡いただくとかでも、いいかなとは思います。虫垂炎だと鳩尾辺りから右の横の方に痛みが移動してきたりすることもあるので。ただ、今CTを撮らないならば明日また来て頂いて血液検査させてもらって再度炎症の数値を見させていただいて、それでまた数値に異常があればCTを撮ってもいいのかなと思っています」

うん、一刻も早く家に帰りたい。

「あ、じゃあ、そうします。帰ります！」

少し声が大きくなったのが自分でも分かる。

「わかりました。では、今マネージャーさんにその旨伝えてきます」

男性の医師がカーテンを開けて出て行こうとしてまた振り返った。

「ちなみに僕も過換気症候群になったことあるんです。腎結石で激痛であまりにも痛くて呼吸が乱れちゃって。僕もその時救急車で運ばれたんですけど、初めての時はこのまま死んじゃうのかもって思いますよね」

そう言うと女医さんも横から顔をひょいとこちらに出した。

「私も過換気になったことあるんです。私は研修の時にあまりのストレスで倒れて。救急車で運ばれました。私もこのまま死ぬんだなって思いました」

俺の表情がよっぽど怯えていたのか、二人の先生は安心させてくれるような優しい声でその話を聞かせてくれた。いい歳をして少し恥ずかしかったけど、二人の優しさに心の中で手を合わせた。

「じゃあ、今ここにいる三人とも仲間ですね」

そうまとめると、三人ともオードリーの漫才の最後のように笑い合った。

病室の白い石膏ボードで覆われた天井をぼーっと眺めていた。

結局、昨日眠れなかったのが良くなかったんだろうな。とはいえ、眠ろうと思っても眠れなかったけどな。

『明日のたりないふたり』というライブは南海キャンディーズの山里亮太とのユニットで、今日は十二年続いたそのユニットの解散ライブだった。『たりないふたり』を発足させる前は「こんなこと誰も共感してくれないだろうな。単なる弱さとして強い人に蹴散らされるだろうな」そんな恐怖感があった。しかしながら、お互いの人としてのたりなさを曝け出すことは、思いの外、お客さんに受け入れてもらうことができた。そして、それを武器にさまざまなトークや企画や漫才を作ってきた。テレビの番組にもなった。そのユニットはたりなさに共感してくれた人に応援してもらうことによって、段々と大きくなった。しかしながらコロナ禍の影響もあって、解散ライブは無観客でネット配信のみのライブとして開催された。そうなると、漫才で山里亮太という天才と二人だけで向き合い、ぶつかり合わざるを得ない。得ない、と書いたけど、俺はもしかしたらその状況を歓迎していたのかもしれない。二人で向き合うしかない漫才ってどんな漫才になるんだろう。単純に、無観客で山里亮太という男と二人だけで掛け合いをすることに俺はワクワクしていたのだ。きっと、その世界はまた俺から時間と自意識を奪い去ってフローのゾーンに連れて行ってくれるだろう。

だが、本番の一週間前辺りから俺は漫才のオチについてずっと悩んでいた。それで、連日なかなか眠れなかった。「俺たち、たりないよね」とみんなで確認し合って安心して終わるのは何か違う気がした。『たりないふたり』が発足して十二年だ。俺と山ちゃんは四十二歳と四十四歳になっていて、例えば二十歳から見始めてくれたファンの方が居たとしたら、その人は今、三十二歳だ。みんなきっといろんなことを経験して、感じただろう。

『たりないふたり』は、たりないが故に負った傷を曝け出すことや語り合うことで、傷を癒してきたのだけど、解散ライブでもし、慰め合い、傷を持っていることに対して安心して思考停止を促すオチにしてしまったら、それこそ、仲間に入れない者を見下すような、自分は充足していると選民意識を持った集団と同じようなことになってしまうのではないか。

このたりなさを卒業して、つまり、自分に拘ることを卒業して他者に向けて生きること。そんな所へ飛び立ってみたい。でも、そんなものは幻想で、それすらも自分の傷を癒すための独善的なことなのかもしれない。そして、そんな所へ連れて行ってくれる都合の良いヘリコプターなどない。そこまでは分かっていた。

しかしながら、前日の深夜、たりている世界に飛び立つ訳でもない、「俺たち、たりないよね」と傷を舐め合う訳でもない、だとしたら、傷ついてきた延長線上をたりないまま歩き続けていくしかないということに、思考は辿り着いた。

たりなさを持ち寄る集まりは解散する。だが、たりないままそれぞれが歩いていく。ただ、たりないこと、傷を受けてきたことはどうしても肯定したい。「たりなくてよかった」と胸を張って言いたい。そう思った途端、もしも自分がたりていたら得ることができなかったもの、たりないことで得ることができたこと、それらが頭の中にとめどなく溢れ出てきた。その瞬間、ライブのオチは決まると確信した。

救命病棟の天井を見ながら、芸人になってから初めて何かを折り畳む仕事をしたなとライブのことを想った。俺は『たりないふたり』を綺麗に折り畳むことができたのだろうか。

生憎、無観客ライブだったのでお客さんの笑い声も表情も無かった。ライブが終わって、今この状況だから、スマホはどこにあるのかもわからない。だから、ネット配信を観てくれていた知り合いからのLINEの感想なども見られない。俺と山ちゃんの導き出した結論は、観てくれた方にどのように届いたのだろうか。

カーテンが開き、看護師さんが車椅子を持ってきてくれていた。

「起き上がれますか？」

腹筋に力を入れて身体を起こしてみる。車椅子に乗るのは、去年の十一月に膝の靭帯を怪我して以来だ。何だか四十二歳は健康運が悪いな。アンミカさんに相談してみようかな。

「はい。起き上がれます」

そう言うと、看護師さんが点滴の針を抜いて絆創膏を貼ってくれた。

看護師さんの後ろからマネージャーが心配そうな表情で私服と靴を持ってこちらの様子を窺っていた。俺は上半身を起き上がらせて足をベッドから下ろし、ゆっくりと立ち上がった。手足の痺れは少し収まっていた。着替えを終え、車椅子に座る。身体が鉛のように重い。マネージャーに車椅子を押してもらって移動する。救命病棟を出た暗い廊下の壁沿いに備え付けられたソファに、『たりないふたり』の総合演出の安島さんがポツリと座っていた。

俺に気づいて立ち上がる。

「ただの過呼吸でした。ご心配おかけしてすみませんでした」

俺が倒れていなければ、今頃ライブは演者とスタッフがお互いを讃え合って、大団円を迎えていたであろう。

「さっき聞きました。大事に至らなくて本当に良かったです」

安島さんが安心したようにそう言った。

俺は軽く息を吸って吐いた後、安島さんに尋ねた。

「漫才、よかったですか？」

面白かったですか？とは聞かなかった。

「めちゃめちゃよかったですよ」

安島さんは、俺の心配を優しく吹き飛ばすようにそう言った。

事務所の車に乗り込んで病院から自宅まで送ってもらう事になった。やっとバッグが手元に届いてスマホを手にした。妻に事の顚末をＬＩＮＥで送ろうと思ったのだが、家に着く間に変に心配させてもよくないかとスマホをバッグの中に仕舞った。

家に着いて玄関を開ける。

「ただいまー」

なるべく明るい声を装った。

「おかえりー」

配信ライブを観ていたらしき妻の明るい声が聞こえてきた。

「疲れたでしょう？」

キッチンから顔を覗かせる妻。

バッグをリビングの床に置いて椅子に座る。

「それがさ、ライブの後に過換気症候群で救急車で運ばれちゃったよ」

妻が一瞬目を丸くした。そして目の前の椅子にゆっくり腰掛けて両手で顔を覆った。

「はぁ〜、本当にもうやめてよね」

何か悪さをして警察に捕まった後、家に帰ってきた中学生にほとほと呆れた母親のような言い方だった。


次の日。

目が覚めると昨日のことが嘘のように身体が絶好調だった。あまりにも快調なので、病院に行くかどうかさえ迷った。だが、医師と約束もしていたので行く事にした。血液検査の結果をロビーで待っていると、先生がデータの紙を持って歩いてきて首を傾げている。

「炎症の数値がね、正常に戻ってるんだよね。おかしいな。昨日はなんだったんだろうね」

　やった！　じゃあ、俺はもう完全に健康だ。何か大きな病気が潜んでいるんじゃないかと、内心ビクビクしていた。

「何も問題ないということですよね？」

「うん、そうなんだけど、細菌に感染していて一日で治ったなんてことでもないだろうしなー。うん、でも、まぁ、よかった。今回は経過観察ってことで、もしこの後で体調が悪くなったらすぐに病院に連絡してください」

　本当に良い先生に診てもらうことができてよかった。

「はい。色々とありがとうございました」

　病院の駐車場に停めていた車の運転席に乗り込む。今日、収録予定だった番組は、昨日救急搬送された時点で欠席する旨をマネージャーが制作陣に伝えていたらしい。今の時間だとまだ収録前だ。事務所に電話して体調的に収録に参加することも可能だと伝えるべきだろうか。車の中で腕を組んで迷っていた。

　いや、せっかくだから休んでしまおう！

　車のエンジンをかけて走り出す。高校の授業をサボることにした後のように解放された気分だった。俺は、お昼の東京を行く当てもなく車を走らせた。いつも聴いているお気に入りのＦＭのラジオをつけてのドライブだ。表参道を走らせていく。車を停める理由が無い。表参道に欲しいものなんて無くていい。青山通りで渋滞に巻き込まれる。誰かに連絡して呼び出す必要はない。気が合う人は少なくていい。内堀通りに出て、銀座を走る。車を停める理由がない。銀座に行きたい所なんて無くていい。銀座を通り過ぎて、俺は八丁堀の駐車場に車を停めて、小学生の時から大好きなハムを売っている精肉店に向かった。

店の向かい側の交差点で信号待ちしていると、横に小学生らしき子どもが自転車でやって来て停まった。ハンドルに下げられたビニール袋の中のプロ野球チップスのカードの袋を取り出して開けようとした瞬間に信号は青になった。小学生はカードの袋を開けないままビニール袋に戻し走り去っていった。その背中を見つめながら、俺も信号を渡り精肉店の中に入る。

「すみません、ハムを二百グラムください！」

奥で何やら作業をしていた、店員さんに声を掛ける。

「はいよ！」

店員さんはハムを機械にかけて切り出し、パックに入れて手際良く輪ゴムをかけて袋に入れて渡してくれた。

「ありがとうございます！」

俺は再び車に戻ると、勝鬨橋《かちどきばし》に向かって車を走らせた。


勝鬨橋のほとりでベンチに腰を下ろし、ハムを素手で摑んで口に放り込み、頰張りながら隅田川をぼーっと眺めていた。

ここからの景色は、見る人が見たら勝どきから晴海にかけて聳え立つ無数のタワマンで嫌味な景色に見えるらしい。ということは、俺は小学生の頃に見た、タワマンなんて一個も建っていなかった頃の景色と、今の景色を混ぜたものを見ているんだろうな。

隅田川の水面が陽の光を反射させてキラキラと瞬いていた。身体の方から抗議を受けたのは今回が初めてのことだったな。昨日の身体の痺れ方は、身体の方から「休ませてくれ」「もう考えないでくれ」と言われているようだった。

またハムを口に運び脂の甘みと弾力を感じながら飲み込む。そして、コンビニで買ったアイスティーを一口飲み、ペットボトルのキャップを締める。すると、川の真ん中あたりに何やら大きな魚がぷかぷかと浮かんでいるのが見えた。川の流れに沿ってゆっくりと流されている。段々こちら側に流されてくる。たまに、ジョギングや犬の散歩をしている人も気付いて、一瞬立ち止まって魚の方に目をやりまた足を進める。

魚は死んでいる。船が落としたのかな？　昔、親父が隅田川に向かって釣り糸を垂れている人を見ると「隅田川で魚なんて釣れるわけねぇのにな！」とよく馬鹿にしていたのを思い出した。もしかしたら、水質が良くなってあのぐらいの大きな魚も泳いでいるのかもしれない。そういえば、子どもの頃は潮とヘドロが混ざった臭いが鼻をついたものだが、隅田川はもう昔のように臭くはない。Tシャツの裾から手を入れて左胸に当てる。これからは、ちゃんと勇気を持って休むし、考え過ぎない。お前をたくさん楽しませてやるからな。

俺は、タリーズの前の席で話し終わって黙っている三年前の自分に向き直った。

「『ナナメの夕暮れ』読みました！」「自分以外にもこんなに考えすぎちゃう人っているんだなって驚きました！」そんな嬉しい言葉を沢山の人にかけてもらった。そして、そんな言葉をかけてくれた自分より年下の人と仕事現場で一緒に収録をしていたりもする。

ここ数年、自分より年下の人と仕事をすることが急激に多くなった。現場でも自分が一番年上なんてことも多い。最初は、自分より若い人たちに、示しをつけるようなスタンスで仕事をしなくてはと思っていた。だが違った。後輩と仕事をして成長するのは、後輩ではなく自分だ。どうすれば、過去の自分のように不慣れな表情を浮かべている人たちが楽しく収録できるのか、どうすれば話しやすくなるのか、昔の自分の傷をなぞってみたり、新たなアプローチを試みる。そういった経験は、たりなさの道を進む新たな武器となった。

どう言えばいいか、少し考えてから目の前の男に目を合わせた。

「真っ黒に埋め尽くされているオセロの盤面の隅に、白い石をひとつ置いた途端に全てが真っ白にひっくり返る。そんな日が来ることを想像して欲しい」

そして、これは絶対に伝えなければいけない。

「傷つき過ぎて、黒い部分が擦り減って両面が白になった石は君が俺に手渡してくれたものだよ。だから、ありがとう」

物心がついた時から今日までの傷がなければ、土曜の深夜一時から三時に十二年間喋り続けることも、大きな玉ねぎの下に一万二千人集めることも、自分とは違う道を歩んできた人の話をあちこちで聞けることも、赤メガネの天才と無観客の舞台上で漫才の向こう側に行くことも、この本を出版することも絶対にできなかった。

そして、人生の宝物のような大切な人たちに出会うこともできなかった。

「生き辛い」という言葉さえも、使い古されて陳腐になってしまっている。この世界を生きる前提のようなものになっている。この国では不思議とそれに声をあげる人が少ない。自助と自己責任をよく弁《わきま》えているのだろう。皮肉込みで書いている。

「お前は寧《むし》ろ恵まれている側の人間だろ」

そんな声を受けることも覚悟の上で書きたい。

子どもの頃からずっと、この世界に居るということが、俺にとってはすごく難しいことだった。

それをなんとかしたいから、痛みを構造的に理解しようとしてきた。

生き辛さを説明する便利な言葉も、俺が子どもの頃に比べたら沢山この世に生まれた。

ＨＳＰだとか、でも、それは医学的な根拠はないから言い訳に過ぎないとか。

新自由主義的な競争とか。

愛着に対する問題を抱えているとか。

市場の中の自分の価値とか。そんなものに自分を決められてたまるか、とか。

生まれてきたことそのものの価値とか。でも、そんなものは努力で感じ取れなかったりだとか。

物質主義に対する猜疑心とか。

鈍感力のなさとか。

固執傾向だとか。

健全な自己愛の形成とか。

外的価値より内的価値を確信しないと気が済まない性分とか。

その「生き辛さ」さえも、貧乏自慢のように他者と「俺の方が」と競い合ってしまう。

傷は絶対的なものなのに。

これまで生きてきたこと、吐いた言葉、書いたことで自分も沢山の人を傷つけてきたくせに。被害者意識を持ってしまう。


子どもの頃から、違う星にやって来て違う星の風習を外からずっと眺めているような気がすることが多かった。眺めているだけだと許されないから、風習の中に入ってみる。入ってみると追い出されたり、息苦しかったりすることが沢山あった。

だけど、それに対して、無意識か、意識的にか、過去の俺はさまざまな実験や思考を試みてくれた。そのおかげで、今の俺はなぜ生き辛かったのかハッキリと答えることができる。努力をして結果を出せば自信がつく？　確かにそれもあるだろう。しかし、市場の上で出した結果は期間限定のものだ。時間が経てば再び劣等感が顔を出してくる。傷と向き合ってきた。それだけが今の俺を支える自信だ。

「だから、自分のことを弱いと思っているかもしれないけど、傷と戦っている強くてタフな人間だと自分のことを思って欲しい。それは、今の俺にはもうできないことだから」

それが少し羨ましくもあることに気づいた。

「最近はね、多様性とか、新しい資本主義とか、格差是正とか、そんな言葉や文字をよく見聞きするようになったよ。そんなに世界は簡単には変わりはしないだろうけどね」

それだけ伝えると『ナナメの夕暮れ』を折り畳んでバッグの中にしまった。

目の前の男は机の一点を見つめている。そして視線を俺に合わせた。

「もし、次に会う時は、今が一番楽しい。そう言って欲しい」

俺は、バッグの持ち手を摑んで立ち上がった。

「わかった。やってみるよ」

そう言い残して俺は店を出た。ポケットの中の白い石を指で弾きながら歩いた。ここは俺が生まれた星。

解　説

朝井リョウ

著者にとって三冊目の本である今作は、これまでの本と少し毛色が違うように思う。一冊目の『社会人大学人見知り学部 卒業見込』は、そのタイトルにも表れている通り、社会や人生というものに本格的に参入していく所謂〝新卒〟的な立場から見る発見や動揺が全体を貫く軸となっていた。斎藤茂太賞を受賞した次作『表参道のセレブ犬とカバーニャ要塞の野良犬』は、日本とは異なる社会主義というシステムで成り立つキューバへの一人旅が主題――かと思いきや、そこに家族の話が織り込まれることで、独自の味わいを持つ唯一無二の紀行文となっていた。両者に共通しているのは、先述したように全体を象徴するテーマやキーワードのようなものが明確にあった、という点である。だが今作はそうではない。

三冊目である今作の本編は、「再開します」というタイトルで始まる。そこで著者は、この本のもととなるエッセイの連載を半年間休んでいたと綴る。かつては発見や動揺に満ちていた場所に心身が馴染んでいき、書くことが見つからなくなったという本心を正直に語る。それは、世慣れていない、もっと言えば芸能界という場所に染まっていない、つまりは私たち読者に寄り添ってくれるような著者の姿を好んでいた方々には少々ショックな宣告かもしれない。だが、だからといって著者は世慣れていないフリを続けるということを、しない。

その後も、【8年前、このダ・ヴィンチの連載の第一回に「好きなことを仕事にしたから、趣味なんていらない。」というようなことを書いた。だけど、今は違う。〝絶望に対するセイフティネットとして、趣味は必要である〟そう確信している】等、過去の自分が書いた文章を自ら〝違う〟と記すような部分があったり、かつての著者ならば強く言い切っていてもおかしくない事柄に対して、譲歩、または相手の立場を慮るような文章が多く登場する。今作では、社会や人生というものに対する反発でも受容でもないグラデーションの感情が多く描かれているのだ。

思えばタイトルにもある〝夕暮れ〟とは、どんな色とも言い難いグラデーションを味わう時間帯のことである。おそらく、社会に対して斜に構えている時間の終わりを表す意味でのこのセレクトなのだろうが、私にはどちらかというと、冒頭で【社会が地元になった】とは言い切らず【社会が地元になりつつある】と話す著者の変化の表れに感じられた。そんな、どの色にも分類し難い内面の変化を詳らかに描写する著者の姿勢は、もし〝変わってしまった〟と嘆く人がいたとして、そのショックを上書きしうる誠実さに満ちている。

人間に、変わらないことで愛され続ける部分と変わることで愛され始める部分があるとするならば、この本は、後者の存在を強く示してくれる。それは、どうしたって変わりながらでしか生き続けることのできない私たちにとって、頼もしい光となる。

頼もしさ。著者の文章やラジオの話に触れていると、私は他の人では代替できない頼もしさを感じる。なんというか、様々な思考を経た著者の言葉からは、この土ならばどんな種を植えても大丈夫だろうとでもいうような、肥沃な大地を感じるのである。テレビの世界で様々な番組を任されているという面から見ても、きっと〝この人ならば誰と突き合わせても大丈夫だろう〟と多くの人に認識されているのではないだろうか。では

その頼もしさの正体とは何なのか。

まず、かねてから私は、著者の文章の特徴として〝孤独を打ち出さない〟ということ

を感じていた。過剰に閉じない、と言い換えることもできる。まえがきで著者は、セーターのチクチクしかり、制服の第一ボタンの窮屈さしかり、自分が気になることを他人が気にしていないという現象に触れている。ここから、たとえば「自分は誰とも分かり合えなかった」「自分を理解してくれる人はいなかった」と孤独を強調する方向に持っていくのは簡単だ。だけど著者はこういうとき、孤独ではなく疑問へ舵を切る。なぜ分かり合えないのか、なぜ理解してもらえないのか。さらにそこから、自分は何がわかっていないのか、自分は何を理解できていないのか、へ移る。著者は、わからないということに対してとても素直だ。

わからないことに素直であること。私は、一見頼りなくさえ感じられるこの状態にこそ、著者独自の頼もしさのヒントがあるように思う。

年齢の増加に伴って、わからないことをわからないと表明する難易度は上がる。それは、腹を見せて寝転ぶというか、自分の弱い部分を露わにする行為でもあるからだ。著者自身はあとがきで【ぼくの悪い癖で「だいたいわかった」と舐めるとすぐにやめてしまう】と書いているが、そこまで辿り着ける人のほうが圧倒的に少ないと思う。人生経験を重ねるにつれて、わからない、は恐怖に変わる。自分のこれまでの人生を否定される可能性を、わからない、から嗅ぎ取るようになる。

だから人は、わからない、を前にすると閉じることを選びがちだ。閉じれば、わかる、にだけ囲まれて生きることができる。自分だけでぎゅうぎゅうづめの世界で、孤独なのに定員いっぱいという不思議な感覚に安住することができる。わからない、に蓋をすることは孤独に接近することなのだと、特に感染症が流行して以降、私は強く感じた。誰にも正解のわからない事態は不安を増大させたし、ただでさえ少なかった人との交流が絶たれ、これまでの人生で感じたことのない類の寂しさにも襲われた。初めて出会う感情たちは、いくら自分の中に閉じ込めて分解したところでどうにもならなかった。他者に差し出して共有することでしか、そのわからなさは解消されなかった。

わからない、は生きている限り常に生成され続ける。私は今作で描かれていた、肉親を亡くす気持ちがまだわからない。体力の決定的な減退を自覚する瞬間も、まだ知らない。今後ほぼ必ず出会うだろうその感情にうまく折り合いを付けられるのか、今の時点で既に自信がない。そのように、時間の流れと共に私たちは常に新しい〝わからない〟に見舞われ続ける。すっかりわかったつもりでいる自分の心身の知らない部分に出会い続ける。それらは目を逸らしたところで消えて無くなってくれない。視界の外側で、実は雪だるま式に膨らんで、追いかけ続けてくる。

著者は、わからないから逃げるどころか、自ら追いかけに行く。自分の知りたいことを掴むためにはキューバにもモンゴルにもアイスランドにも足を運ぶし、後輩に声をかけて家庭教師までしてもらうのだ。この〝わからない〟に対するアグレッシブさは、ものすごく稀有な才能だと思う。

では、著者をそうさせるモチベーションは何なのか。私は「ナナメの殺し方」と名付けられた文章の中で、その答えとなる一行に出会った気がした。

【どうしても今回の生で世界を肯定してみたかった。】

このフレーズを読んだとき、私は、著者から感じる頼もしさの源泉を見た気がした。著者は、根の根の根の部分で、世界を肯定したがっている。どんなに人からネガティブだ、考えすぎだと言われようと、その咀嚼は世界を肯定するための著者なりの試みなのだ。そんな、実は誰よりも広く開けた生への姿勢に、今、これまで以上に多くの人が惹きつけられているのではないだろうか。

著者を見ていると、本当の頼もしさとは、何を持っているとか年収はいくらかとかフォロワーが何人かとか社会的ステータスはどうかとか、そういう部分に依らないということがよくわかる。世界を肯定するための思考を様々に経てきた心身。そこから発せられる頼もしさは、誰にも奪われない。世界を構築する要素が今後どう入れ替わっても、決して削り取られないのだ。

——と、ここまでは〝文庫解説〟の形式にしっかり則る形で書いてみた。依頼してくださった方は間違いなく若林さんと私に交流があることを知っているし、この解説を読んでくれている方もそういう人が多いかもしれない。だが、個人的な関係性のみに焦点を当てた文章を解説という冠で掲載いただくのは些か心苦しく、とりあえず定石通り作家論を述べる形での解説を書いた。ここからは少しだけ、著者、ではなく、若林さん、と呼ぶ形で筆を進めたい。解説というよりただの感想や私見となる恐れがあるが、大目に見ていただきたい。

先程、自粛期間において〝ただでさえ少なかった人との交流が絶たれ、これまでの人生で感じたことのない類の寂しさにも襲われた〟と書いた。その後〝他者に差し出して共有することでしか、そのわからなさは解消されなかった〟と続けたが、リモートで喋ろうと声を掛けてくれたのは若林さんだった。何度か、それなりに長い時間、色んな話をした。そのことが私にとっては、ものすごく有り難かった。

若林さんは十歳以上年下の私にも突然、「朝井くん○○って知ってる？」「××ってわかる？」というような連絡をくれる。私はいつもそれが嬉しい。いつもうまく答えられないけれど、すごく嬉しい。今後、自分が年下の誰かにわからないことを尋ねようとして躊躇するとき、私はきっと若林さんから連絡があったときの喜びの記憶に背中を押されるんだと思う。

そういう風に、日々の暮らしの中で「あ、これ若林さんのやつだ」と感じることはとても多い。自意識というものは体力を使うから三十歳を超えたらどうでもよくなって楽になると思うよ、とか、ネガティブを打ち消すのはポジティブじゃなくて没頭だ、とか、ハッと気づいたときには若林さんが遠くで笑っている。その登場確率は進研ゼミ以上で、だからこそ私は、若林さんにはいつまでも健康でいてもらわないと困るな、と思っている。自分と若林さんは、これまでも全く違う種類の、自分自身だけの困難を掻き分けて生きてきたということはわかっている。そして今後は、若林さんや、若林さんと一緒によく集まっていた人々がそれぞれに摑み取ったものとは違う自分だけの呼吸法を見つけ出さなくてはならないということも、わかっている。それでも、若林さんが不健康になる世界で今後自分が健やかに生きていく自信は、あまりない。今想像している以上に全く別々の世界を生きることになっても、だ。

私は基本的に、他者の幸福を願えない。

気を抜くと、全員引きずり落とされればいいと思ってしまう。

だけど若林さんには、幸せを感じていてほしいと思っている。

心からそう思っている。

そういう人に出会えて、私は嬉しい。

そういうところから、私なりの世界の肯定が拡張されていくのだと思う。

ここまで色んなことを書いたが、重要なのは、【文庫版のためのあとがき】を読んでもわかる通り、現在の著者は本編を書いていたころとはまた大きく変化しているということだ。

この本が出版された後、著者は満員の武道館で漫才をし、万雷の爆笑を浴びた。救急車で運ばれるほど心身を使い切り、長く続いていた『たりないふたり』を美しく畳んだ。『あちこちオードリー』という、これまでにない形式のトーク番組をテレビで堂々と展開している。明らかに、河合隼雄の『中年クライシス』に慰められていたころの著者とは異なっている。本人なりの世界の肯定を、長い時間と煩悶の末に握り始めていることが伝わってくる。

そういえば、夕暮れと朝焼けは似ているらしい。太陽のある方角がわからない限り、写真では判別できないほどそっくりだと聞く。

本作で描かれていたものが実は、暮れゆく一つの時代ではなく何かが明けていく前兆だったのだとしたら。その〝何か〟がまた著者の文章で語られることを、私は願ってしまう。四冊目のエッセイ集が、いつか読めますように。

（作家）

「ILL伝導者」
作詞　H.KON, T.HIRAGURI, H.KIMURA
作曲　H.KON
NexTone PB000052067号

第一章 「ダ・ヴィンチ」(KADOKAWA) 二〇一五年八月号〜
二〇一八年四月号
第二章・あとがき　単行本時書き下ろし
「明日のナナメの夕暮れ」　書き下ろし

単行本　二〇一八年八月　文藝春秋刊

DTP制作　エヴリ・シンク

文春文庫

ナナメの夕《ゆう》暮《ぐ》れ

定価はカバーに
表示してあります

2021年12月10日　第1刷
2024年5月15日　第9刷

著　者　若林正恭《わかばやしまさやす》

発行者　大沼貴之
発行所　株式会社 文藝春秋

東京都千代田区紀尾井町 3-23　〒102-8008
TEL　03・3265・1211㈹
文藝春秋ホームページ　http://www.bunshun.co.jp

落丁、乱丁本は、お手数ですが小社製作部宛お送り下さい。送料小社負担でお取替致します。

印刷製本・大日本印刷

Printed in Japan
ISBN978-4-16-791805-7

（　）内は解説者。品切の節はご容赦下さい。

村上春樹
走ることについて語るときに僕の語ること
八二年に専業作家になったとき、心を決めて路上を走り始めた。走ることは彼の生き方・小説をどのように変えてきたか？　村上春樹が自身について真正面から綴った必読のメモワール。
む-5-10

村上春樹
ラオスにいったい何があるというんですか？　紀行文集
ボストンの小径とボールパーク、アイスランドの自然、フィンランドの不思議なバー、ラオスの早朝の僧侶たち、そして熊本の町と人びと――旅の魅力を描き尽くす、待望の紀行文集。
む-5-15

村上春樹　絵・高　妍
猫を棄てる　父親について語るとき
ある夏の午後、僕は父と一緒に自転車に乗り、猫を海岸に棄てに行った――語られることのなかった父の記憶・体験を引き継ぎ、辿り、自らのルーツを綴った話題のノンフィクション。
む-5-16

村田沙耶香
きれいなシワの作り方　淑女の思春期病
初めての皺に白髪、通販の誘惑、自意識過剰とSNS、迫る「産むか産まないか」問題、最後のセックス考……これが大人の「思春期」？　悩み多きアラサー芥川賞作家の赤裸々エッセイ。
む-16-2

もちぎ
あたいと他の愛
物心ついた頃からゲイのあたい。父は自殺、母は毒親、生き抜くための売春……。初恋の先生や友達や姉の優しさと愛と勇気によって支えられてきた。苛烈な母との再会エピソードも収録。
も-34-1

森岡督行
800日間銀座一周
あんぱんを買い、一杯の酒を飲み、一着のスーツを作る。「一冊の本を売る」コンセプトで人気の森岡書店代表が、銀座の街を現在から過去、そして未来へと旅をする、写真&エッセイ集。
も-35-1

山川静夫
私の「紅白歌合戦」物語
令和元年暮れに七十回目を迎えた紅白歌合戦。昭和四十九年より九年連続で白組司会を務めた元NHKアナウンサーだから書ける舞台の裏側。誌上での再現放送や、当時の日記も公開。
や-13-6

文豪お墓まいり記
山崎ナオコーラ
谷崎潤一郎、永井荷風、太宰治に森茉莉…互いに交流する文豪たち。26人の人生を思いつつ、現代の人気作家がお墓まいり！　食事処案内やお墓の地図ありの楽しいガイド。
や-51-3

買い物とわたし
お伊勢丹より愛をこめて
山内マリコ
週刊文春の人気連載「お伊勢丹より愛をこめて」が書き下ろしを加えて一冊に。蚤の市で買ったお皿からハイブランドのバッグまで、カラーイラスト満載で紹介するお買い物エッセイ。
や-62-1

偉くない「私」が一番自由
米原万里・佐藤　優　編
佐藤優が選ぶ、よりぬき米原万里。メインディッシュは初公開の東京外語大学卒業論文。単行本未収録作品も含む傑作エッセイを佐藤シェフの解説付きで紹介する。文庫オリジナル。
よ-21-7

銀座界隈ドキドキの日々
和田　誠
銀座が街の王様で、僕はデザイナー一年生だった！　憧れのデザイン業界の修業時代を文章と懐かしいデザインで綴った六〇年代グラフィティ。講談社エッセイ賞受賞。　（井上ひさし）
わ-2-4

悲しみの秘義
若松英輔
暗闇の中にいる人へ――宮澤賢治や神谷美恵子、プラトンらの悲しみや離別、孤独についての言葉を読み解き、深い癒しと示唆で日経新聞連載時から反響を呼んだ26編。　（俵　万智）
わ-24-1

表参道のセレブ犬とカバーニャ要塞の野良犬
若林正恭
「別のシステムで生きる人々を見たい」。多忙な著者は5日間の夏休み、一人キューバに旅立った。特別書下ろし3編「モンゴル」「アイスランド」「コロナ後の東京」収録。　（DJ松永）
わ-25-1

ナナメの夕暮れ
若林正恭
世界を疑い続ける面倒な性格を持て余していた著者は、いかにして立派なおじさんになったのか。自分探しは、これにて完全終了！　書き下ろし「明日のナナメの夕暮れ」収録。　（朝井リョウ）
わ-25-2